Petits *Classiques*

LAROUSSE

Collection fondée par Félix Guirand,
Agrégé des Lettres

L'Illusion comique

Corneille

Comédie

Édition présentée,
annotée et commentée
par Alain Migé,
professeur des universités

ISBN : 978-2-03-586791-9

SOMMAIRE

Avant d'aborder l'œuvre

L'illusion comique
CORNEILLE

Pour approfondir

AVANT D'ABORDER
L'ŒUVRE

Fiche d'identité de l'auteur

Corneille

Nom : Pierre Corneille.

Naissance : 6 juin 1606 à Rouen.

Famille : son père est "maître des Eaux et Forêts de la vicomté de Rouen", une modeste profession administrative qui le range dans la petite bourgeoisie.

Formation : études au collège des jésuites de Rouen, puis licence de droit.

Début de sa carrière : *Mélite*, première pièce et première comédie (1629-1630).

Premiers succès : succès immédiat de *Mélite*. Triomphe absolu du *Cid* (1637), aussitôt suivi d'une vive "querelle" (polémique).

Tournant de sa carrière : d'abord auteur comique (1631-1645) : quatre comédies de 1631 à 1634 : *La Veuve* ; *La Galerie du Palais* ; *La Suivante* ; *La Place royale* ; puis retour à la comédie dix ans plus tard avec *Le Menteur* (1643-1644) et *La Suite du Menteur* (1644-1645). Il devient un spécialiste de la tragédie romaine et politique (1640-1652), avec notamment *Horace* (1640), *Cinna* (1642), *Polyeucte* (1642-1643), (1643-1644), *Nicomède* (1651). Échec de *Pertharite* (1652) ; tentation de l'abandon : "retraite".

Dernière partie de sa carrière : le retour au théâtre avec *Œdipe* (1659). Efforts de renouvellement avec deux "comédies héroïques" : *Tite et Bérénice* (1670) et *Pulchérie* (1672). Échec d'*Agésilas* (1666). Trois succès : *Sertorius* (1662), *Sophonisbe* (1663), *Othon* (1664). Concurrence de plus en plus vive de Racine : demi-échec d'*Attila* en 1667, l'année d'*Andromaque*. Retraite définitive après *Suréna* (1674).

Mort : le 1er octobre 1684, à Paris.

Pierre Corneille. Portrait de l'École française, XVIIe.

Repères chronologiques

Vie et œuvre de Corneille	Événements politiques et culturels
1606 Naissance à Rouen.	**1610** **Assassinat d'Henri IV.** **Régence de Marie de Médicis.**
1615-1622 Études au collège des jésuites de Rouen.	**1618** Début de la guerre de Trente Ans.
1624 Licence de droit. Avocat stagiaire au parlement de Rouen.	**1622** Naissance de Molière.
	1623 Naissance de Pascal.
1629-1634 *Mélite, La Veuve,* *La Galerie du Palais,* *La Suivante, La Place royale.*	**1630** Richelieu, principal ministre d'État.
1636 **Représentation** **de *L'Illusion comique*** **au théâtre du Marais.**	**1635** Fondation de l'Académie française.
	1637 ***Discours de la méthode*** **de Descartes.**
1637 **Triomphe de la tragi-comédie** **du *Cid* ; « querelle du *Cid* » ;** **découragement de Corneille.**	**1638** Naissance du futur Louis XIV.
1640 *Horace.*	**1639** Naissance de Racine.
1642 *Cinna.*	**1642** Mort de Richelieu.
1642-1643 *Polyeucte.*	**1643** Mort de Louis XIII ; régence d'Anne d'Autriche ; Mazarin, principal ministre d'État.
1643-1644 *La Mort de Pompée.*	
1644-1645 *Rodogune* (tragédie orientale).	**1648** Fin de la guerre de Trente Ans.
	1648-1652 **Révolte de la Fronde.**
1647 Élection à l'Académie française.	**1651-1657** *Le Roman comique* de Scarron.
1651 *Nicomède.*	**1656** *Les Provinciales* de Pascal.

Repères chronologiques

Vie et œuvre de Corneille	Événements politiques et culturels
1651-1652 Échec de *Pertharite*. Corneille renonce au théâtre. **1659** *Œdipe*. **1662** *La Toison d'or*. **1662** *Sertorius*. Corneille vient habiter Paris. **1663** *Sophonisbe*. **1664** *Othon*. **1666** Échec d'*Agésilas*. **1667** Demi-succès d'*Attila*. **1670** Échec de *Tite et Bérénice*, comédie héroïque. **1674** *Suréna*. Corneille se retire définitivement du théâtre. **1682** Édition de son *Théâtre* complet. **1684** Mort à Paris, le 1er octobre.	**1659** Traité des Pyrénées, fin de la guerre contre l'Espagne. *Les Précieuses ridicules* de Molière. **1660** Mariage de Louis XIV avec Marie-Thérèse, infante d'Espagne. **1661** **Mort de Mazarin.** **1662-1665** *L'École des femmes*, *L'Impromptu de Versailles*, *Dom Juan* de Molière. **1666** Mort d'Anne d'Autriche. *Le Misanthrope* de Molière. **1667** *Andromaque* de Racine. **1668** *Fables* de La Fontaine. **1669-1677** *Britannicus, Bérénice, Iphigénie, Phèdre* de Racine. **1673** Mort de Molière. **1678** *La Princesse de Clèves* de Mme de La Fayette. **1680** **Naissance de la Comédie-Française.** **1682** Installation définitive de Louis XIV à Versailles. **1685** **Révocation de l'édit de Nantes.**

Fiche d'identité de l'œuvre

L'Illusion comique

Genre : théâtre, comédie.

Auteur : Corneille, XVIIe siècle.

Objets d'étude : comique et comédie ; le théâtre : texte et représentation ; l'esthétique baroque.

Registres : comique, tragique, pathétique et épique.

Structure : cinq actes.

Forme : dialogue en vers (alexandrins).

Principaux personnages : Matamore, soldat fanfaron ; Clindor, au service de Matamore et amoureux d'Isabelle ; Isabelle, fille de Géronte, amoureuse de Clindor ; Pridamant, père de Clindor ; Alcandre, magicien.

Sujet : Pridamant consulte le magicien Alcandre pour savoir ce qu'est devenu son fils Clindor. Alcandre commence par lui raconter le passé mouvementé de ce fils (acte I). Grâce à des "fantômes", il lui montre ensuite un épisode de la vie de Clindor, entré au service de Matamore. Aimé en vain de Lise, Clindor aime Isabelle qui l'aime en retour. Soupirant malheureux d'Isabelle, Adraste, aidé de Lise, tend un piège à Clindor (acte II). Adraste et Clindor se battent en duel. Adraste meurt (acte III). Arrêté, Clindor attend dans sa prison l'heure de son exécution. Prise de remords, Lise organise son évasion (acte IV). Clindor, marié à Isabelle, courtise la princesse Rosine, épouse du prince Florilame. Ce dernier le fait assassiner. Pridamant se désespère. Un rideau se lève. Clindor est bien vivant. Devenus comédiens, Clindor et ses compagnons interprétaient le dernier acte d'une tragédie. Alcandre entreprend un vif éloge du théâtre.

Représentations de la pièce : jouée avec succès à sa création, la pièce tombe dans l'oubli au XVIIIe siècle. Le XIXe siècle la redécouvre. Après une nouvelle éclipse, elle ne quitte pratiquement plus l'affiche depuis 1965.

Frontispice extrait du *Théâtre de Pierre Corneille*.
Gravure anonyme illustrant *L'Illusion comique*, 1664.

L'œuvre dans son siècle

Une période de troubles

LORSQUE CORNEILLE fait jouer *L'Illusion comique* durant la saison théâtrale 1635-1636 (il est impossible de préciser davantage), la France est menacée de toutes parts. Depuis 1618, la guerre de Trente Ans déchire l'Europe. L'enjeu en est le maintien ou l'affaiblissement de la suprématie de la Maison d'Autriche sur le continent. Après s'en être tenu à l'écart, Louis XIII engage le royaume dans le conflit en déclarant la guerre à l'Espagne, le 19 mai 1635. Allié à l'Espagne, l'empereur déclare à son tour la guerre à la France. Les événements prennent rapidement une tournure inquiétante : dans le sud-ouest, les Espagnols s'emparent de Saint-Jean-de-Luz ; au nord, les troupes hollandaises, alliées aux Espagnols, occupent la Picardie ; à l'est, les Autrichiens s'avancent en Franche-Comté. Paris s'affole. C'est dans ce contexte qu'il convient de comprendre le reproche que Géronte fait à Matamore de « demeurer si paisible en un temps plein de guerre » (v. 725). La France ne reprendra l'avantage qu'à partir de la mi-décembre 1636.

LA SITUATION INTÉRIEURE n'est guère plus brillante. Louis XIII est un souverain timide, de santé fragile, mal préparé de surcroît à son métier de roi. Il s'en remet pour gouverner au cardinal de Richelieu (1585-1642). « Chef du Conseil » depuis 1624, celui-ci devient en 1630, après la « journée des Dupes » qui a vu l'échec des Dévots hostiles à sa politique, le véritable maître de l'exécutif. Son souci principal est d'affermir l'autorité du roi dans tout le pays et de construire un État monarchique fort. Résistances et révoltes sont en effet nombreuses. L'aggravation de la fiscalité pour soutenir l'effort de guerre et de mauvaises récoltes suscitent des émeutes populaires, en Guyenne et en Languedoc en 1635, en Normandie et en Bretagne en 1636. Les oppositions les plus vives viennent toutefois des Grands et de la Cour elle-même. Ce sont des complots incessants qui visent à assassiner Richelieu. Le parti « dévot » (catholique) ne lui pardonne pas de combattre les très catholiques monarchies d'Espagne et d'Autriche. La noblesse rechigne à sa « domestication », à perdre ses privilèges (dont celui de se battre en duel) et son indépendance, à passer sous l'obéissance absolue du roi. Elle accueillera avec soulagement la mort de Richelieu en 1642. Mais celui-ci aura réussi à bâtir un État puissant.

Le temps du baroque

Cette période d'instabilité et de remises en cause, de fureur et d'excès, trouve sa traduction dans l'esthétique baroque, dominante depuis le début du siècle. En 1635-1636, celle-ci commence à décliner sous la concurrence des premiers balbutiements de ce qui deviendra le classicisme. Mais elle demeure encore vivace. Le baroque est tout autant une éthique qu'une esthétique, une vision du monde qu'un art d'écrire, de peindre, de sculpter, de construire. Conscient que le monde est en plein bouleversement, le baroque possède un goût marqué pour le provisoire et la métamorphose : tout change, tout se modifie. Le mouvement est roi. Plus de règles ni de lois, par voie de conséquence. La réalité est trop complexe pour l'enfermer dans des codes. Elle est même si complexe qu'il est vain de chercher à en saisir la réalité ou un éventuel sens caché. Faute de pouvoir atteindre l'« être », seul compte le « paraître ». Contrairement au proverbe, pour l'homme baroque, « l'habit fait le moine ». Il en résulte une vaste aspiration à la liberté, un hymne à la vie éphémère et changeante.

En poésie, le baroque privilégie les images de l'eau et du feu, symboles de l'écoulement et de l'insaisissable, ainsi que les métaphores, les antithèses ou les personnifications, toutes figures qui établissent des liens entre des réalités différentes (chez Théophile de Viau ou Tristan L'Hermite, par exemple). Qu'il soit pastoral (l'*Astrée* d'Honoré d'Urfé) ou satirique (*Histoire comique de Francion* de Charles Sorel), le roman accumule les épisodes compliqués et les intrigues secondaires, multiplie les déguisements, les fausses morts et les identités masquées. Le théâtre, lui, est un théâtre en liberté et de la liberté. Tout y est permis : le mélange des genres comme des registres, l'irruption de l'extraordinaire et du merveilleux, la surcharge de l'action. Seul importe d'éblouir le spectateur, de susciter en lui des émotions fortes et variées, de satisfaire ses sens avant sa raison (contrairement à l'idéal classique qui en appellera à plus de mesure et de vraisemblance). Avec son jeu permanent sur les apparences, *L'Illusion comique* s'inscrit dans ce courant.

La renaissance du théâtre

JUSQUE VERS 1630, les conditions de la vie théâtrale sont précaires. Matériellement, Paris ne dispose que d'une salle permanente – l'Hôtel de Bourgogne. Les autres troupes en sont réduites à des tournées en province et à jouer dans des locaux de fortune. D'une manière générale, le public cultivé boude le théâtre. Les représentations sont houleuses, et les spectacles de médiocre qualité. La mise en scène demeure rudimentaire, utilisant encore la technique du décor simultané du Moyen Âge. Moralement, le théâtre est suspect. Assimilés à des gens sans foi ni loi, les comédiens vivent en marge de la société. Leur profession est décriée. Méfiante à leur égard, l'Église catholique les menace d'excommunication (de privation de sacrements) si, au moment de mourir, ils ne renient pas leur métier. Quant aux écrivains, ils n'étaient guère tentés d'écrire pour le théâtre.

LA SITUATION s'améliore nettement aux alentours de 1630. Une seconde salle ouvre ses portes en 1635 – le théâtre du Marais, auquel Corneille confie ses pièces depuis le début de sa carrière. Par goût personnel et par politique, Richelieu s'intéresse de près au théâtre, qui est alors le seul « média ». Il confie à un groupe de cinq auteurs – dont Corneille – le soin d'écrire des comédies pour la Cour. Les milieux officiels et aristocratiques assistent de plus en plus souvent à des représentations, protègent et parfois entretiennent des troupes de comédiens. Sous l'influence des salons, les mœurs se polissent. Plus cultivé, le public se montre plus exigeant. Les acteurs épurent leur jeu. Une nouvelle génération de dramaturges, à laquelle appartient Corneille, apparaît enfin, plus talentueuse et plus soucieuse de perfection. Le théâtre devient un art à la mode et un « divertissement » prisé.

L'*ILLUSION COMIQUE* témoigne de ce renouveau. Elle le consacre même. Devant Pridamant, encore prisonnier de ces préjugés, Alcandre se lance dans un vif éloge du théâtre :

> « Cessez de vous en plaindre : *à présent* le théâtre
> Est en un point si haut que chacun l'idolâtre,
> Et ce que *votre temps* voyait avec mépris
> Est *aujourd'hui* l'amour de tous les bons esprits »
> (v. 1866-1869).

LE 16 AVRIL 1641, une déclaration royale affirmera la dignité du métier de comédien et de l'art dramatique.

Corneille et la comédie

JUSQU'À CORNEILLE, la comédie est un genre presque à l'abandon. Le rire a trouvé refuge dans les parades et les farces, dont les procédés comiques rudimentaires et souvent grossiers ne séduisent qu'un public populaire et peu instruit. Les genres les plus pratiqués sont la pastorale, comme la *Silvanire* (1629) de Mairet, et, surtout, la tragi-comédie qui reprend les thèmes des romans héroïques en vogue où les amours contrariées se mêlent à des aventures guerrières. Malgré l'immense production d'Alexandre Hardy (1572-1632), la tragédie est encore un genre délaissé.

CORNEILLE réhabilite la comédie. Comme l'indique parfois le titre de ses pièces (*La Galerie du Palais ; La Place royale*), l'action de ses pièces se déroule dans des lieux de promenade à la mode. Les personnages en sont de jeunes bourgeois aisés, seulement préoccupés de leurs amours. C'est que, pour Corneille, « la comédie n'est qu'un portrait de nos actions ; et la perfection des portraits consiste en la ressemblance. Sur cette maxime, poursuit-il, je tâche de ne mettre en la bouche de mes acteurs que ce que diraient vraisemblablement ceux qu'ils représentent, et de les faire discourir en honnêtes gens » (*Épître au lecteur* de *La Veuve*, 1634).

Une pièce à part

L'*ILLUSION COMIQUE* occupe une place singulière dans la production comique de Corneille. Lui qui, dans ses comédies antérieures, se refusait à faire rire avec des « personnages ridicules, tels que les valets bouffons, les parasites, les capitans » (*Examen* de *Mélite*), campe précisément avec Matamore le type même du fanfaron, du « capitan », popularisé depuis l'Antiquité. La composition de la troupe du Marais explique en partie ce choix. Depuis la fin de l'année 1634, celle-ci a engagé l'acteur Bellemore, spécialisé dans l'« emploi » de guerrier fanfaron au point de porter le surnom scénique de « capitan Matamore ». Ni sa réputation ni son talent n'étaient minces. Corneille devait lui donner un rôle dans sa pièce. Mais de cette nécessité, il fait un atout magistral. Qu'est-ce en effet que Matamore, sinon l'essence même de la théâtralité ? C'est un personnage qui, par définition, joue en permanence, qui endosse le rôle d'un vantard, qui vit dans ce rôle et de ce rôle, qui se donne partout en spectacle à qui veut bien l'entendre. Corneille lui adjoint Clindor, tout à la fois complice, spectateur amusé et parasite – fonctions qui font également de ce personnage un comédien-né. Autour de ce noyau qui n'a rien d'original, Corneille va imaginer une comédie qui, sans jamais perdre de sa verve, dépasse de loin toutes les comédies de « capitan ». Il va en faire une métaphore de l'art dramatique, à la gloire du théâtre et de son propre métier de dramaturge.

L'œuvre dans son siècle

Un titre à double sens

CORNEILLE prend soin de préciser qu'il s'agit d'une illusion *comique*. Or, si l'illusion est un thème baroque, l'adjectif *comique* qualifie au XVIIe siècle aussi bien le genre particulier de la comédie que le théâtre en général. On allait « à la comédie » voir une tragédie. Ce sens subsiste encore de nos jours dans l'appellation même de la Comédie-Française – qui accueille des comédies comme des tragédies ou des drames.

Lire l'œuvre aujourd'hui

Depuis sa mise en scène par Georges Wilson, en 1965, au Festival d'Avignon, *L'Illusion comique* ne cesse d'être jouée, faisant même l'objet d'une adaptation pour la télévision. Elle soulève en effet les questions, très modernes, de nos rapports à l'image, au jeu et au monde virtuel.

Comment lire l'image de la grotte ?

Oublions les fantômes – encore que notre époque en aime les apparitions au cinéma. Ils ne sont qu'un procédé dont se sert Alcandre pour projeter des images sur le fond de la grotte où il habite. Cette grotte est symbolique : salle de théâtre, elle peut tout aussi bien être une salle de cinéma ou un écran de télévision. Ce qui fondamentalement est en cause, c'est l'image et notre attitude devant elle. Comment la lire ?

Quand il assiste aux mésaventures de son fils auprès de Matamore, Pridamant les prend pour véridiques et actuelles. Or, si elles sont véridiques, elles ne sont plus actuelles, puisqu'il s'agit du passé de Clindor. En langage cinématographique, on parlerait de retour en arrière ou de « flash-back ». L'image modifie ainsi notre rapport au temps.

Il y a toutefois plus troublant. Longtemps, l'image a été considérée comme une preuve d'authenticité. Pas de photographie sans objet photographié. Les images virtuelles effritent cette certitude : elles ne renvoient à rien de réel. Or, à l'acte V, c'est bien à des images virtuelles avant l'heure que Pridamant est soumis. Par ces images enfin, Alcandre manipule les sentiments et les émotions de Pridamant. C'est s'interroger sur leur pouvoir. *L'Illusion comique* invite ainsi le spectateur à analyser comment l'image influe sur nos réactions et les détermine.

Une éducation par le jeu ?

Le jeu est-il étranger à la vie ? Ou, au contraire, y prépare-t-il ? Jusqu'à l'acte V, Clindor est un marginal, vivant de petits

métiers. Il ment, il feint, il simule. C'est dangereux et moralement peu recommandable. Clindor ne fait pas encore la dis-
tinction entre la vie et le jeu. En devenant acteur, le théâtre lui
donne la possibilité de trouver son équilibre, de satisfaire son
goût de la liberté et du changement. En jouant, il est lui-même
et il devient autre. Sa vie n'est plus un jeu, même s'il fait du jeu
sa profession. Le jeu – simple récréation, jeu de rôles ou jeu du
comédien – n'est donc pas obligatoirement une fuite dans
l'imaginaire. Il peut aussi permettre de se connaître et, parfois, de s'épanouir.

Quel est le danger du monde virtuel ?

Matamore illustre toutefois les limites et les dangers à ne vivre
que dans le jeu. Il vit en effet dans ses rêves de guerrier et de
séducteur invincibles. Il les organise même. Il vit dans son
monde, qui n'est que virtuel. Aussi le ridicule le frappe-t-il à
chaque fois qu'il se trouve confronté à la réalité. Le rire qu'il
suscite chez le spectateur sanctionne son comportement, car
L'Illusion comique est et reste une comédie. Mais qui ne voit
que la folie le guette ? : danger de s'identifier à des rôles ima-
ginaires, de se complaire dans des postures, en occultant tota-
lement le réel...

Bellemare dans le rôle de Matamore.
Gravure de Achille Devéria, XIXe.

L'Illusion comique

Corneille

Comédie (1635)

À Mademoiselle M.F.D.R. [1]

MADEMOISELLE,

Voici un étrange monstre que je vous dédie. Le premier acte n'est qu'un prologue, les trois suivants font une comédie imparfaite, le dernier est une tragédie, et tout cela cousu ensemble fait une comédie. Qu'on en nomme l'invention bizarre et extravagante tant qu'on voudra, elle est nouvelle ; et souvent la grâce de la nouveauté parmi nos Français n'est pas un petit degré de bonté. Son succès ne m'a point fait de honte sur le théâtre et j'ose dire que la représentation de cette pièce capricieuse [2] ne vous a point déplu, puisque vous m'avez commandé de vous en adresser l'épître [3] quand elle irait sous la presse. Je suis au désespoir de vous la présenter en si mauvais état qu'elle en est méconnaissable : la quantité de fautes que l'imprimeur a ajoutées aux miennes, la déguise, ou, pour mieux dire, la change entièrement. C'est l'effet de mon absence de Paris, d'où mes affaires m'ont rappelé sur le point qu'il l'imprimait, et m'ont obligé d'en abandonner les épreuves à sa discrétion. Je vous conjure de ne la lire point que vous n'ayez pris la peine de corriger ce que vous trouverez marqué en suite de cette épître. Ce n'est pas que j'y aie employé [4] toutes les fautes qui s'y sont coulées : le nombre en est si grand qu'il eût épouvanté le lecteur ; j'ai seulement choisi celles qui peuvent apporter quelque corruption notable au sens, et qu'on ne peut pas deviner aisément. Pour les autres qui ne sont que contre la rime,

---

1. **À mademoiselle M.F.D.R. :** initiales d'une dédicataire inconnue.
2. **Capricieuse :** qui n'obéit à aucune règle.
3. **Vous en adresser l'épître :** vous en envoyer un exemplaire dédicacé.
4. **Employé :** fait figurer.

ou l'orthographe, ou la ponctuation, j'ai cru que le lecteur judicieux y suppléerait sans beaucoup de difficulté, et qu'ainsi il n'était pas besoin d'en charger cette première feuille. Cela m'apprendra à ne hasarder plus de pièces à l'impression durant mon absence. Ayez assez de bonté pour ne dédaigner pas celle-ci, toute déchirée qu'elle est, et vous m'obligerez d'autant plus à demeurer toute ma vie,

MADEMOISELLE,

Le plus fidèle et le plus passionné
de vos serviteurs,

Corneille.

Examen

JE DIRAI PEU DE CHOSE DE CETTE PIÈCE : c'est une galanterie[1] extravagante, qui a tant d'irrégularités qu'elle ne vaut pas la peine de la considérer, bien que la nouveauté de ce caprice[2] en ait rendu le succès assez favorable pour ne me repentir pas d'y avoir perdu quelque temps. Le premier acte ne semble qu'un prologue, les trois suivants forment une pièce que je ne sais comment nommer. Le succès[3] en est tragique : Adraste y est tué, et Clindor en péril de mort ; mais le style et les personnages sont entièrement de la comédie. Il y en a même un qui n'a d'être que dans l'imagination, inventé exprès pour faire rire, et dont il ne se trouve point d'original parmi les hommes. C'est un capitan[4] qui soutient assez son caractère de fanfaron, pour me permettre de croire qu'on en trouvera peu, dans quelque langue que ce soit, qui s'en acquittent mieux. L'action n'y est pas complète, puisqu'on ne sait, à la fin du quatrième acte qui la termine, ce que deviennent mes principaux acteurs, et qu'ils se dérobent plutôt au péril qu'ils n'en triomphent. Le lieu y est assez régulier, mais l'unité de jour n'y est pas observée. Le cinquième est une tragédie assez courte pour n'avoir pas la juste grandeur que demande Aristote[5], et que j'ai tâché d'expliquer. Clindor et Isabelle étant devenus comédiens, sans qu'on le sache, y représentent une histoire, qui a du rapport avec

---

1. **Galanterie :** chose de peu d'importance.
2. **Caprice :** œuvre irrégulière, qui n'obéit qu'à l'imagination.
3. **Succès :** dénouement.
4. **Capitan :** soldat fanfaron de la *commedia dell'arte* italienne.
5. **Aristote :** philosophe grec du IVe siècle avant notre ère, auteur d'une *Poétique* établissant les règles de la dramaturgie et à laquelle les auteurs du XVIIe siècle se réfèrent sans cesse.

la leur, et semble en être la suite. Quelques-uns ont attribué cette conformité à un manque d'invention, mais c'est un trait d'art pour mieux abuser[1] par une fausse mort le père de Clindor qui les regarde, et rendre son retour de la douleur à la joie plus surprenant, et plus agréable.

Tout cela cousu ensemble fait une comédie dont l'action n'a pour durée que celle de sa représentation, mais sur quoi il ne serait pas sûr de prendre exemple. Les caprices de cette nature ne se hasardent qu'une fois, et quand l'original aurait passé pour merveilleux, la copie n'en peut jamais rien valoir. Le style semble assez proportionné aux matières, si ce n'est que Lise en la sixième scène du troisième acte semble s'élever un peu trop au-dessus du caractère de servante. Ces deux vers d'Horace[2] lui serviront d'excuse, aussi bien qu'au père du Menteur[3], quand il se met en colère contre son fils au cinquième :

Interdum tamen et vocem Comœdia tollit,
Iratusque Chremes tumido delitigat ore.

Je ne m'étendrai pas davantage sur ce poème[4]. Tout irrégulier qu'il est, il faut qu'il ait quelque mérite, puisqu'il a surmonté l'injure des temps, et qu'il paraît encore sur nos théâtres, bien qu'il y ait plus de vingt et cinq années qu'il est au monde, et qu'une si longue révolution[5] en ait enseveli beaucoup sous la poussière, qui semblaient avoir plus de droit que lui à prétendre à une si heureuse durée.

---

1. **Abuser :** induire en erreur.
2. **Horace :** poète latin du Ier siècle avant notre ère, auteur d'un *Art poétique*, dont provient la citation : « Quelquefois cependant la comédie élève aussi le ton, et Chrémès en colère enfle sa voix pour gronder » (vers 93-94).
3. **Menteur :** *Le Menteur* est l'une des comédies de Corneille (1644). Le père du « Menteur » s'exprime, à l'acte V, sur un ton trop éloquent, trop noble, pour sa condition – comme Lise.
4. **Poème :** une pièce de théâtre était alors appelée « poème dramatique ».
5. **Révolution :** le cours des années.

PERSONNAGES

ALCANDRE, *magicien.*

PRIDAMANT, *père de Clindor.*

DORANTE, *ami de Pridamant.*

MATAMORE, *capitan gascon, amoureux d'Isabelle.*

CLINDOR, *suivant du capitan et amant d'Isabelle.*

ADRASTE, *gentilhomme amoureux d'Isabelle.*

GÉRONTE, *père d'Isabelle.*

ISABELLE, *fille de Géronte.*

LISE, *servante d'Isabelle.*

GEÔLIER de Bordeaux.

PAGE du capitan.

ROSINE, *princesse d'Angleterre, femme de Florilame.*

ÉRASTE, *écuyer de Florilame.*

Troupe de domestiques d'Adraste.

Troupe de domestiques de Florilame.

La scène est en Touraine, en une campagne proche de la grotte du magicien.

ACTE I

Scène 1

DORANTE

Ce grand mage dont l'art commande à la nature
N'a choisi pour palais que cette grotte obscure ;
La nuit qu'il entretient sur cet affreux[1] séjour,
N'ouvrant son voile épais qu'aux rayons d'un faux jour,
De leur éclat douteux[2] n'admet en ces lieux sombres   5
Que ce qu'en peut souffrir[3] le commerce des ombres[4].
N'avancez pas : son art au pied de ce rocher
A mis de quoi punir qui s'en ose approcher,
Et cette large bouche est un mur invisible
Où l'air en sa faveur[5] devient inaccessible,   10
Et lui fait un rempart dont les funestes bords
Sur un peu de poussière étalent mille morts.
Jaloux de son repos plus que de sa défense,
Il perd qui l'importune ainsi que qui l'offense,
Si bien que ceux qu'amène un curieux désir   15
Pour consulter Alcandre attendent son loisir[6].
Chaque jour il se montre, et nous touchons à l'heure
Que pour se divertir il sort de sa demeure.

PRIDAMANT

J'en attends peu de chose et brûle de le voir,
J'ai de l'impatience et je manque d'espoir.   20
Ce fils, ce cher objet[7] de mes inquiétudes,
Qu'ont éloigné de moi des traitements trop rudes,
Et que depuis dix ans je cherche en tant de lieux,

---

1. **Affreux :** qui épouvante.
2. **Douteux :** incertain.
3. **Souffrir :** permettre.
4. **Commerce des ombres :** fréquentation des morts.
5. **En sa faveur :** pour lui complaire.
6. **Attendent son loisir :** attendent sa permission.
7. **Objet :** personne chère.

A caché pour jamais sa présence à mes yeux.
25 Sous ombre[1] qu'il prenait un peu trop de licence[2],
Contre ses libertés je raidis ma puissance ;
Je croyais le réduire à force de punir,
Et ma sévérité ne fit que le bannir.
Mon âme vit l'erreur dont elle était séduite[3] ;
30 Je l'outrageais présent[4] et je pleurai sa fuite,
Et l'amour paternel me fit bientôt sentir
D'une injuste rigueur un juste repentir.
Il l'a fallu chercher : j'ai vu dans mon voyage
Le Pô, le Rhin, la Meuse, et la Seine, et le Tage ;
35 Toujours le même soin travaille mes esprits[5],
Et ces longues erreurs[6] ne m'en ont rien appris.
Enfin, au désespoir de perdre tant de peine,
Et n'attendant plus rien de la prudence humaine,
Pour trouver quelque fin à tant de maux soufferts,
40 J'ai déjà sur ce point consulté les Enfers ;
J'ai vu les plus fameux en ces noires sciences
Dont vous dites qu'Alcandre a tant d'expérience ;
On en faisait l'état que vous faites de lui,
Et pas un d'eux n'a pu soulager mon ennui[7].
45 L'Enfer devient muet quand il me faut répondre,
Ou ne me répond rien qu'à fin de me confondre.

DORANTE

Ne traitez pas Alcandre en homme du commun,
Ce qu'il sait en son art n'est connu de pas un.
Je ne vous dirai point qu'il commande au tonnerre,
50 Qu'il fait enfler les mers, qu'il fait trembler la terre,
Que de l'air qu'il mutine en mille tourbillons

---

1. **Sous ombre que :** sous prétexte que.
2. **Licence :** laisser-aller.
3. **Séduite :** abusée.
4. **Je l'outrageais présent :** j'étais injuste quand il était là.
5. **Le même soin travaille mes esprits :** le même souci me tourmente.
6. **Erreurs :** voyages.
7. **Ennui :** chagrin violent.

Contre ses ennemis il fait des bataillons,
Que de ses mots savants les forces inconnues
Transportent les rochers, font descendre les nues[1],
Et briller dans la nuit l'éclat de deux soleils ;   55
Vous n'avez pas besoin de miracles pareils ;
Il suffira pour vous qu'il lit dans les pensées,
Et connaît l'avenir et les choses passées.
Rien n'est secret pour lui dans tout cet univers,
Et pour lui nos destins sont des livres ouverts.   60
Moi-même ainsi que vous je ne pouvais le croire ;
Mais, sitôt qu'il me vit, il me dit mon histoire,
Et je fus étonné d'entendre les discours
Des traits les plus cachés de mes jeunes amours.

PRIDAMANT

Vous m'en dites beaucoup.   65

DORANTE

J'en ai vu davantage.

PRIDAMANT

Vous essayez en vain de me donner courage.
Mes soins et mes travaux verront sans aucun fruit
Clore mes tristes jours d'une éternelle nuit.

DORANTE

Depuis que j'ai quitté le séjour de Bretagne   70
Pour venir faire ici le noble de campagne,
Et que deux ans d'amour par une heureuse fin
M'ont acquis Silvérie et ce château voisin,
De pas un, que je sache, il n'a déçu l'attente.
Quiconque le consulte, en sort l'âme contente.   75
Croyez-moi, son secours n'est pas à négliger :
D'ailleurs il est ravi quand il peut m'obliger[2],
Et j'ose me vanter qu'un peu de mes prières
Vous obtiendra de lui des faveurs singulières.

---

1. **Les nues :** les nuages.
2. **M'obliger :** me rendre service.

PRIDAMANT

80 Le sort m'est trop cruel pour devenir si doux.

DORANTE

Espérez mieux, il sort et s'avance vers vous.
Regardez-le marcher : ce visage si grave,
Dont le rare savoir tient la nature esclave,
N'a sauvé toutefois des ravages du temps
85 Qu'un peu d'os et de nerfs qu'ont décharnés cent ans.
Son corps malgré son âge a les forces robustes,
Le mouvement facile et les démarches justes :
Des ressorts inconnus agitent le vieillard,
Et font de tous ses pas des miracles de l'art.

Costume de Dorante par Jacques le Marquet,
pour la mise en scène de Georges Wilson au TNP, en 1966.

Scène 2 ALCANDRE, PRIDAMANT, DORANTE

DORANTE

Grand démon[1] du savoir, de qui les doctes veilles[2]   90
Produisent chaque jour de nouvelles merveilles,
À qui rien n'est secret dans nos intentions,
Et qui vois sans nous voir toutes nos actions,
Si de ton art divin le pouvoir admirable
Jamais en ma faveur se rendit secourable,   95
De ce père affligé soulage les douleurs.
Une vieille amitié prend part en ses malheurs :
Rennes ainsi qu'à moi lui donna la naissance,
Et presque entre ses bras j'ai passé mon enfance ;
Là de son fils et moi naquit l'affection ;   100
Nous étions pareils d'âge et de condition...

ALCANDRE

Dorante, c'est assez, je sais ce qui l'amène :
Ce fils est aujourd'hui le sujet de sa peine.
Vieillard, n'est-il pas vrai que son éloignement
Par un juste remords te gêne incessamment[3],   105
Qu'une obstination à te montrer sévère
L'a banni de ta vue et cause ta misère,
Qu'en vain au repentir de ta sévérité,
Tu cherches en tous lieux ce fils si mal traité ?

PRIDAMANT

Oracle de nos jours qui connais toutes choses,   110
En vain de ma douleur je cacherais les causes :
Tu sais trop quelle fut mon injuste rigueur,
Et vois trop clairement les secrets de mon cœur.
Il est vrai, j'ai failli, mais pour mes injustices

---

1. **Démon :** génie.
2. **Doctes veilles :** les veilles consacrées à l'étude.
3. **Te gêne incessamment :** te tourmente sans cesse.

¹¹⁵ Tant de travaux en vain sont d'assez grands supplices.
Donne enfin quelque borne à mes regrets cuisants,
Rends-moi l'unique appui de mes débiles[1] ans ;
Je le tiendrai rendu[2] si j'en sais des nouvelles,
L'amour pour le trouver me fournira des ailes.
¹²⁰ Où fait-il sa retraite ? En quels lieux dois-je aller ?
Fût-il au bout du monde, on m'y verra voler.

ALCANDRE

Commencez d'espérer ; vous saurez par mes charmes[3]
Ce que le ciel vengeur refusait à vos larmes ;
Vous reverrez ce fils plein de vie et d'honneur ;
¹²⁵ De son bannissement il tire son bonheur.
C'est peu de vous le dire : en faveur de Dorante
Je veux vous faire voir sa fortune éclatante.
Les novices de l'art avecques leurs encens
Et leurs mots inconnus qu'ils feignent tout-puissants,
¹³⁰ Leurs herbes, leurs parfums, et leurs cérémonies,
Apportent au métier des longueurs infinies,
Qui ne sont, après tout, qu'un mystère pipeur[4]
Pour les faire valoir, et pour vous faire peur.
Ma baguette à la main, j'en ferai davantage.
(Il donne un coup de baguette et on tire un rideau derrière
lequel sont en parade les plus beaux habits des comédiens.)
¹³⁵ Jugez de votre fils par un tel équipage[5].
Eh bien, celui d'un prince a-t-il plus de splendeur ?
Et pouvez-vous encor douter de sa grandeur ?

PRIDAMANT

D'un amour paternel vous flattez les tendresses ;
Mon fils n'est point de rang à porter ces richesses,
¹⁴⁰ Et sa condition ne saurait endurer
Qu'avecque tant de pompe il ose se parer.

---

1. **Débiles :** faibles.
2. **Je le tiendrai rendu :** j'estimerai qu'il m'est rendu.
3. **Charmes :** pouvoirs magiques.
4. **Pipeur :** trompeur.
5. **Équipage :** costume (les comédiens portaient alors de très beaux habits).

ALCANDRE

Sous un meilleur destin sa fortune rangée,
Et sa condition avec le temps changée,
Personne maintenant n'a de quoi murmurer
Qu'en public de la sorte il ose se parer.   145

PRIDAMANT

À cet espoir si doux j'abandonne mon âme.
Mais parmi ces habits je vois ceux d'une femme :
Serait-il marié ?

ALCANDRE

         Je vais de ses amours
Et de tous ses hasards[1] vous faire le discours.   150
Toutefois, si votre âme était assez hardie,
Sous une illusion[2] vous pourriez voir sa vie,
Et tous ses accidents[3] devant vous exprimés
Par des spectres pareils à des corps animés :
Il ne leur manquera ni geste ni parole.   155

PRIDAMANT

Ne me soupçonnez point d'une crainte frivole :
Le portrait de celui que je cherche en tous lieux
Pourrait-il par sa vue épouvanter mes yeux ?

ALCANDRE, *à Dorante.*

Mon Cavalier, de grâce, il faut faire retraite,
Et souffrir qu'entre nous l'histoire en soit secrète.   160

PRIDAMANT

Pour un si bon ami je n'ai point de secrets.

DORANTE

Il vous faut sans réplique accepter ses arrêts.
Je vous attends chez moi.

ALCANDRE

         Ce soir, si bon lui semble,
Il vous apprendra tout quand vous serez ensemble.   165

---

1. **Hasards :** aventures plus ou moins périlleuses.
2. **Illusion :** apparition magique.
3. **Accidents :** événements.

Clefs d'analyse

Acte I, scènes 1 et 2.

Compréhension

Le lieu et le temps

- Chercher où se passe l'action (I, 1).
- Reconstituer la chronologie des événements (I, 1).

Les personnages

- Définir les liens unissant Dorante à Pridamant (I, 1).
- Comparer la présentation du personnage de Pridamant : par lui-même (I, 1), puis par Dorante (I, 2).
- Comparer la présentation du personnage d'Alcandre : par Dorante (I, 1), puis par lui-même (I, 2).

Réflexion

Magie et illusion

- Expliquer l'intérêt de créer une atmosphère de mystère.
- Expliquer l'intérêt de la didascalie insérée à la scène 2 entre les vers 134 et 135.

Le pathétique

- Analyser ce qui relève du registre pathétique dans les propos de Pridamant (I, 1 et 2).
- Expliquer la présence de ce registre dans ce qui est une comédie.

À retenir :

L'exposition doit faire connaître tous les faits et personnages nécessaires à la compréhension de la situation. C'est une exigence de clarté. Elle doit en même temps lancer l'action pour d'emblée capter l'attention du spectateur. C'est une nécessité dramaturgique. En prenant la forme d'une conversation entre deux amis puis d'une consultation, ces deux scènes réunissent toutes les qualités d'une exposition.

Scène 3   ALCANDRE, PRIDAMANT

ALCANDRE

Votre fils tout d'un coup ne fut pas grand seigneur ;
Toutes ses actions ne vous font pas honneur,
Et je serais marri d'exposer sa misère
En spectacle à des yeux autres que ceux d'un père.
Il vous prit quelque argent, mais ce petit butin   170
À peine lui dura du soir jusqu'au matin.
Et pour gagner Paris, il vendit par la plaine
Des brevets[1] à chasser la fièvre et la migraine,
Dit la bonne aventure, et s'y rendit ainsi.
Là, comme on vit d'esprit, il en vécut aussi ;   175
Dedans Saint-Innocent il se fit secrétaire[2] ;
Après, montant d'état, il fut clerc d'un notaire ;
Ennuyé de la plume, il la quitta soudain,
Et dans l'académie il joua de la main[3] ;
Il se mit sur la rime, et l'essai de sa veine   180
Enrichit les chanteurs de la Samaritaine[4] ;
Son style prit après de plus beaux ornements,
Il se hasarda même à faire des romans,
Des chansons pour Gautier, des pointes pour Guillaume[5] ;
Depuis il trafiqua de chapelets de baume,   185
Vendit du mithridate[6] en maître opérateur[7],

---

1. **Brevets :** papiers vendus par des charlatans, sur lesquels étaient écrites des formules magiques.
2. **Secrétaire :** écrivain public installé dans le cloître de Saint-Innocent.
3. **Dans l'académie il joua de la main :** il tricha dans une salle de jeux (= l'académie).
4. **Chanteurs de la Samaritaine :** chanteurs de rue autour de la fontaine de la Samaritaine, près du Pont-Neuf.
5. **Gautier, Guillaume :** chansonniers et acteurs spécialisés dans la farce.
6. **Mithridate :** contrepoison, du nom de ce roi du Pont qui s'était immunisé contre le poison.
7. **Opérateur :** charlatan.

Revint dans le Palais et fut solliciteur[1] ;
Enfin jamais Buscon, Lazarille de Tormes[2],
Sayavèdre et Gusman[3] ne prirent tant de formes ;
190 C'était là pour Dorante un honnête entretien !

PRIDAMANT

Que je vous suis tenu[4] de ce qu'il n'en sait rien !

ALCANDRE

Sans vous faire rien voir, je vous en fais un conte
Dont le peu de longueur épargne votre honte.
Las de tant de métiers sans honneur et sans fruit,
195 Quelque meilleur destin à Bordeaux l'a conduit,
Et là, comme il pensait au choix d'un exercice[5],
Un brave du pays l'a pris à son service.
Ce guerrier amoureux en a fait son agent ;
Cette commission[6] l'a remeublé d'argent :
200 Il sait avec adresse, en portant les paroles,
De la vaillante dupe attraper les pistoles[7] ;
Même de son agent il s'est fait son rival,
Et la beauté qu'il sert ne lui veut point de mal.
Lorsque de ses amours vous aurez vu l'histoire,
205 Je vous le veux montrer plein d'éclat et de gloire,
Et la même action qu'il pratique aujourd'hui.

PRIDAMANT

Que déjà cet espoir soulage mon ennui !

ALCANDRE

Il a caché son nom en battant la campagne,

---

1. **Solliciteur :** personne payée pour aller chez les avocats et les procureurs afin de presser l'instruction d'une affaire, d'un procès.
2. **Buscon, Lazarille de Tormes :** héros de romans picaresques espagnols, fort à la mode en France.
3. **Sayavèdre et Gusman :** héros de roman picaresque espagnol.
4. **Tenu :** obligé.
5. **Exercice :** métier.
6. **Commission :** emploi.
7. **Pistoles :** ancienne monnaie d'or.

Et s'est fait de Clindor, le sieur de la Montagne ;
C'est ainsi que tantôt vous l'entendrez nommer.   210
Voyez tout sans rien dire et sans vous alarmer.
Je tarde un peu beaucoup pour votre impatience ;
N'en concevez pourtant aucune défiance :
C'est qu'un charme ordinaire a trop peu de pouvoir
Sur les spectres parlants qu'il faut vous faire voir.   215
Entrons dedans ma grotte, afin que j'y prépare
Quelques charmes nouveaux pour un effet si rare.

Alcandre, par Jacques le Marquet,
pour la mise en scène de Georges Wilson au TNP, en 1966.

Clefs d'analyse

Acte I, scène 3.

Compréhension

L'errance d'un marginal

- Reconstituer l'itinéraire de Clindor depuis sa fuite de la maison familiale.
- Énumérer les différents métiers exercés par Clindor.

Un comédien qui s'ignore

- Chercher ce qui, dans ces différents métiers, prépare Clindor à devenir comédien.
- Relever son pseudonyme.

Réflexion

Narration et action

- Expliquer pourquoi Alcandre choisit de raconter et non de montrer les activités passées de Clindor.
- Expliquer l'allusion aux « spectres parlants » (v. 215).

À retenir :

Le merveilleux de la magie n'est pas exceptionnel dans la littérature de l'époque. Le personnage du mage est fréquent dans le roman pastoral (dans l'Astrée d'Honoré d'Urfé par exemple). Corneille avait déjà porté à la scène la magicienne Médée, dans la tragédie qui porte son nom (1634-1635). Plus tard, Molière fera intervenir un « spectre » dans sa comédie de Dom Juan (1666).

Synthèse Acte I

Une exposition mystérieuse et inquiétante

Personnages

Deux amis et un magicien

Lassé de la sévérité de son père, Clindor s'est enfui de chez lui pour chercher l'aventure. Regrettant amèrement ses rigueurs passées, Pridamant le recherche en vain depuis dix ans. En désespoir de cause, il se laisse convaincre par son vieil ami Dorante de consulter un mage. Le recours à un magicien nimbe l'exposition de mystère et la fait basculer dans l'irréel. Alcandre est progressivement présenté : d'abord par Dorante qui brosse son portrait (I, 1), puis directement en apparaissant à la scène 2. Mais s'il possède d'authentiques pouvoirs magiques, Alcandre se montre surtout fin psychologue.

Langage

Conversation courtoise et écriture baroque

Les personnages parlent tous le langage des « honnêtes gens » du XVIIᵉ siècle, caractérisé par la courtoisie et le tact. Avec quelle élégance Alcandre ménage l'amour paternel de Pridamant en priant Dorante de s'éloigner !

Le champ lexical le plus important est celui de la magie : avec la description effrayante de la grotte, des pouvoirs d'Alcandre et l'allusion aux « spectres ». Ce champ lexical est caractéristique de l'écriture baroque, qui privilégie les apparences, l'irréel et les images saisissantes.

Synthèse Acte I

Société

▌ L'irrationnel au XVIIᵉ siècle

Si le mage est un type littéraire, la croyance en la magie était, quant à elle, très répandue dans toute la société du XVIIᵉ siècle, bien qu'elle fût fort peu compatible avec la religion chrétienne, alors dominante. Des gens simples comme de grands seigneurs recouraient à des philtres ou à des breuvages, qui pour susciter une passion amoureuse, qui pour se débarrasser d'un(e) rival(e), qui, pour ceux qui versaient dans l'alchimie, pour transformer l'or en plomb. On croyait à l'existence de forces occultes. Alors pourquoi pas à des magiciens ou à des fantômes ?

ACTE II

Scène 1 ALCANDRE, PRIDAMANT

ALCANDRE

Quoi qui s'offre à vos yeux, n'en ayez point d'effroi.
De ma grotte surtout ne sortez qu'après moi,
Sinon, vous êtes mort. Voyez déjà paraître   220
Sous deux fantômes vains[1], votre fils et son maître.

PRIDAMANT

Ô Dieux ! je sens mon âme après lui s'envoler.

ALCANDRE

Faites-lui du silence et l'écoutez parler.

Scène 2 MATAMORE, CLINDOR

CLINDOR

Quoi, Monsieur, vous rêvez[2] ! et cette âme hautaine
Après tant de beaux faits semble être encor en peine !   225
N'êtes-vous point lassé d'abattre des guerriers ?
Soupirez-vous après quelques nouveaux lauriers ?

MATAMORE

Il est vrai que je rêve, et ne saurais résoudre
Lequel je dois des deux le premier mettre en poudre,
Du grand Sophi[3] de Perse, ou bien du grand Mogor[4].   230

CLINDOR

Et de grâce, Monsieur, laissez-les vivre encor !

---

1. **Vains :** irréels.
2. **Vous rêvez :** vous méditez.
3. **Sophi :** roi de Perse.
4. **Mogor :** empereur de Mongolie.

Qu'ajouterait leur perte à votre renommée ?
Et puis quand auriez-vous rassemblé votre armée ?

MATAMORE

Mon armée ! ah poltron ! ah traître ! pour leur mort
235 Tu crois donc que ce bras ne soit pas assez fort !
Le seul bruit de mon nom renverse les murailles,
Défait les escadrons et gagne les batailles ;
Mon courage invaincu contre les empereurs
N'arme que la moitié de ses moindres fureurs ;
240 D'un seul commandement que je fais aux trois Parques[1],
Je dépeuple l'État des plus heureux monarques ;
Le foudre[2] est mon canon, les destins mes soldats ;
Je couche d'un revers mille ennemis à bas ;
D'un souffle je réduis leurs projets en fumée,
245 Et tu m'oses parler cependant d'une armée !
Tu n'auras plus l'honneur de voir un second Mars[3],
Je vais t'assassiner d'un seul de mes regards,
Veillaque[4]... Toutefois, je songe à ma maîtresse[5] ;
Le penser m'adoucit. Va, ma colère cesse,
250 Et ce petit archer[6] qui dompte tous les dieux
Vient de chasser la mort qui logeait dans mes yeux.
Regarde, j'ai quitté cette effroyable mine
Qui massacre, détruit, brise, brûle, extermine,
Et pensant au bel œil qui tient ma liberté,
255 Je ne suis plus qu'amour, que grâce, que beauté.

CLINDOR

Ô dieux ! en un moment que tout vous est possible !
Je vous vois aussi beau que vous étiez terrible,
Et ne crois point d'objet si ferme en sa rigueur
Qui puisse constamment vous refuser son cœur.

---

1. **Les trois Parques :** déesses du Destin, qui présidaient à la naissance, à la vie et à la mort des humains.
2. **Le foudre :** la foudre (le mot est alors masculin), arme de Jupiter.
3. **Mars :** le dieu de la Guerre.
4. **Veillaque :** lâche, coquin.
5. **Maîtresse :** femme recherchée en mariage.
6. **Ce petit archer :** Cupidon, dieu de l'Amour.

MATAMORE

Je te le dis encor, ne sois plus en alarme,   260
Quand je veux j'épouvante, et quand je veux je charme,
Et selon qu'il me plaît, je remplis tour à tour
Les hommes de terreur, et les femmes d'amour.
Du temps que ma beauté m'était inséparable,
Leurs persécutions[1] me rendaient misérable :   265
Je ne pouvais sortir sans les faire pâmer ;
Mille mouraient par jour à force de m'aimer ;
J'avais des rendez-vous de toutes les princesses ;
Les reines à l'envi mendiaient mes caresses ;
Celle d'Éthiopie et celle du Japon   270
Dans leurs soupirs d'amour ne mêlaient que mon nom ;
De passion pour moi deux sultanes troublèrent[2] ;
Deux autres pour me voir du sérail s'échappèrent ;
J'en fus mal quelque temps avec le Grand Seigneur[3].

CLINDOR

Son mécontentement n'allait qu'à votre honneur.   275

MATAMORE

Ces pratiques nuisaient à mes desseins de guerre
Et pouvaient m'empêcher de conquérir la terre.
D'ailleurs, j'en devins las, et, pour les arrêter,
J'envoyai le Destin dire à son Jupiter
Qu'il trouvât un moyen qui fît cesser les flammes   280
Et l'importunité dont m'accablaient les dames ;
Qu'autrement, ma colère irait dedans les cieux
Le dégrader[4] soudain de l'empire des dieux,
Et donnerait à Mars à gouverner son foudre.
La frayeur qu'il en eut, le fit bientôt résoudre :   285
Ce que je demandais fut prêt en un moment,
Et, depuis, je suis beau quand je veux seulement.

---

1. **Persécutions :** poursuites amoureuses importunes.
2. **Troublèrent :** devinrent folles.
3. **Le Grand Seigneur :** le Sultan turc.
4. **Dégrader :** retirer son pouvoir.

CLINDOR

Que j'aurais sans cela de poulets[1] à vous rendre !

MATAMORE

De quelle que ce soit, garde-toi bien d'en prendre,
290 Sinon de... Tu m'entends. Que dit-elle de moi ?

CLINDOR

Que vous êtes des cœurs et le charme et l'effroi,
Et que, si quelque effet peut suivre vos promesses,
Son sort est plus heureux que celui des déesses.

MATAMORE

Écoute : en ce temps-là dont tantôt je parlais,
295 Les déesses aussi se rangeaient sous mes lois,
Et je te veux conter une étrange aventure
Qui jeta du désordre en toute la nature,
Mais désordre aussi grand qu'on en voie arriver !
Le Soleil fut un jour sans se pouvoir lever,
300 Et ce visible dieu que tant de monde adore
Pour marcher devant lui ne trouvait point d'Aurore ;
On la cherchait partout, au lit du vieux Tithon,
Dans les bois de Céphale, au palais de Memnon[2],
Et, faute de trouver cette belle fourrière[3],
305 Le jour jusqu'à midi se passait sans lumière.

CLINDOR

Où se pouvait cacher la reine des clartés ?

MATAMORE

Parbleu, je la tenais encore à mes côtés !
Aucun n'osa jamais la chercher dans ma chambre,
Et le dernier de juin fut un jour de décembre ;

---

1. **Poulets** : billets doux, ainsi appelés parce qu'en les pliant on y faisait deux pointes qui rappelaient les ailes d'un poulet.
2. **Tithon, Céphale, Memnon** : respectivement mari, amant et fils de la déesse Aurore.
3. **Fourrière** : comme les « fourriers » qui précédaient le Roi en voyage pour préparer son logement, l'Aurore est la « fourrière » du Soleil, parce qu'elle le précède.

Car enfin, supplié par le dieu du Sommeil,   310
Je la rendis au monde, et l'on vit le Soleil.

CLINDOR

Cet étrange accident me revient en mémoire ;
J'étais lors en Mexique, où j'en appris l'histoire,
Et j'entendis conter que la Perse en courroux
De l'affront de son dieu[1] murmurait contre vous.   315

MATAMORE

J'en ouïs quelque chose, et je l'eusse punie ;
Mais j'étais engagé dans la Transylvanie,
Où ses ambassadeurs qui vinrent l'excuser,
À force de présents me surent apaiser.

CLINDOR

Que la clémence est belle, en un si grand courage !   320

MATAMORE

Contemple, mon ami, contemple ce visage :
Tu vois un abrégé de toutes les vertus.
D'un monde d'ennemis sous mes pieds abattus,
Dont la race est périe et la terre déserte,
Pas un qu'à son orgueil n'a jamais dû sa perte.   325
Tous ceux qui font hommage à mes perfections
Conservent leurs États par leurs soumissions ;
En Europe où les rois sont d'une humeur civile,
Je ne leur rase point de château ni de ville ;
Je les souffre régner ; mais chez les Africains,   330
Partout où j'ai trouvé des rois un peu trop vains,
J'ai détruit les pays avecque les monarques,
Et leurs vastes déserts en sont de bonnes marques ;
Ces grands sables qu'à peine on passe sans horreur
Sont d'assez beaux effets de ma juste fureur.   335

CLINDOR

Revenons à l'amour, voici votre maîtresse.

---

1. **Son dieu :** Mithra, dieu du Soleil en Perse.

MATAMORE

Ce diable de rival l'accompagne sans cesse.

CLINDOR

Où vous retirez-vous ?

MATAMORE

                    Ce fat n'est pas vaillant,
340 Mais il a quelque humeur qui le rend insolent ;
Peut-être qu'orgueilleux d'être avec cette belle,
Il serait assez vain pour me faire querelle.

CLINDOR

Ce serait bien courir lui-même à son malheur.

MATAMORE

Lorsque j'ai ma beauté, je n'ai point ma valeur.

CLINDOR

345 Cessez d'être charmant et faites-vous terrible.

MATAMORE

Mais tu n'en prévois pas l'accident[1] infaillible :
Je ne saurais me faire effroyable à demi,
Je tuerais ma maîtresse avec mon ennemi.
Attendons en ce coin l'heure qui les sépare.

CLINDOR

350 Comme votre valeur, votre prudence est rare.

---

1. **Accident** : résultat.

Scène 3 ADRASTE, ISABELLE

ADRASTE

Hélas ! s'il est ainsi, quel malheur est le mien !
Je soupire, j'endure, et je n'avance rien,
Et malgré les transports de mon amour extrême,
Vous ne voulez pas croire encor que je vous aime.

ISABELLE

Je ne sais pas, Monsieur, de quoi vous me blâmez.   355
Je me connais aimable[1] et crois que vous m'aimez :
Dans vos soupirs ardents j'en vois trop d'apparence,
Et quand bien[2] de leur part j'aurais moins d'assurance,
Pour peu qu'un honnête homme ait vers moi de crédit,
Je lui fais la faveur de croire ce qu'il dit.   360
Rendez-moi la pareille, et puisqu'à votre flamme
Je ne déguise rien de ce que j'ai dans l'âme,
Faites-moi la faveur de croire sur ce point
Que, bien que vous m'aimez[3], je ne vous aime point.

ADRASTE

Cruelle, est-ce là donc ce que vos injustices   365
Ont réservé de prix à de si longs services[4] ?
Et mon fidèle amour est-il si criminel
Qu'il doive être puni d'un mépris éternel ?

ISABELLE

Nous donnons bien souvent de divers noms aux choses :
Des épines pour moi, vous les nommez des roses ;   370
Ce que vous appelez service, affection,
Je l'appelle supplice et persécution.

---

1. **Aimable :** digne d'être aimée.
2. **Et quand bien :** et quand bien même.
3. **M'aimez :** m'aimiez (à l'époque *bien que* pouvait encore se construire avec l'indicatif).
4. **Services :** empressements.

Chacun dans sa croyance également s'obstine.
Vous pensez m'obliger d'un feu[1] qui m'assassine,
375 Et la même action, à votre sentiment,
Mérite récompense, au mien un châtiment.

ADRASTE

Donner un châtiment à des flammes si saintes,
Dont j'ai reçu du ciel les premières atteintes !
Oui, le ciel au moment qu'il me fit respirer
380 Ne me donna du cœur que pour vous adorer ;
Mon âme prit naissance avec votre idée[2] ;
Avant que de vous voir, vous l'avez possédée,
Et les premiers regards dont m'aient frappé vos yeux
N'ont fait qu'exécuter l'ordonnance des cieux,
385 Que vous saisir d'un bien qu'ils avaient fait tout vôtre.

ISABELLE

Le ciel m'eût fait plaisir d'en enrichir un autre.
Il vous fit pour m'aimer, et moi pour vous haïr :
Gardons-nous bien tous deux de lui désobéir.
Après tout, vous avez bonne part à sa haine,
390 Ou de quelque grand crime il vous donne la peine,
Car je ne pense pas qu'il soit supplice égal
D'être forcé d'aimer qui vous traite si mal.

ADRASTE

Puisque ainsi vous jugez que ma peine est si dure,
Prenez quelque pitié des tourments que j'endure.

ISABELLE

395 Certes, j'en ai beaucoup, et vous plains d'autant plus
Que je vois ces tourments passer pour superflus,
Et n'avoir pour tout fruit d'une longue souffrance
Que l'incommode honneur d'une triste constance.

ADRASTE

Un père l'autorise, et mon feu mal traité
400 Enfin aura recours à son autorité.

---

1. **Feu :** amour (langue précieuse).
2. **Idée :** image.

ISABELLE

Ce n'est pas le moyen de trouver votre compte,
Et d'un si beau dessein vous n'aurez que la honte.

ADRASTE

J'espère voir pourtant avant la fin du jour
Ce que peut son vouloir au défaut de l'amour.

ISABELLE

Et moi, j'espère voir, avant que le jour passe,   405
Un amant accablé de nouvelle disgrâce.

ADRASTE

Eh quoi ! cette rigueur ne cessera jamais ?

ISABELLE

Allez trouver mon père, et me laissez en paix.

ADRASTE

Votre âme, au repentir de sa froideur passée,
Ne la veut point quitter sans être un peu forcée.   410
J'y vais tout de ce pas, mais avec des serments
Que c'est pour obéir à vos commandements.

ISABELLE

Allez continuer une vaine poursuite.

Scène 4 MATAMORE, ISABELLE, CLINDOR, UN PAGE

MATAMORE

Eh bien, dès qu'il m'a vu, comme a-t-il pris la fuite !
415 M'a-t-il bien su quitter la place au même instant !

ISABELLE

Ce n'est pas honte à lui, les rois en font autant,
Au moins si ce grand bruit qui court de vos merveilles
N'a trompé mon esprit en frappant mes oreilles.

MATAMORE

Vous le pouvez bien croire, et pour le témoigner,
420 Choisissez en quels lieux il vous plaît de régner :
Ce bras tout aussitôt vous conquête[1] un empire.
J'en jure par lui-même, et cela, c'est tout dire.

ISABELLE

Ne prodiguez pas tant ce bras toujours vainqueur :
Je ne veux point régner que dessus votre cœur ;
425 Toute l'ambition que me donne ma flamme,
C'est d'avoir pour sujets les désirs de votre âme.

MATAMORE

Ils vous sont tous acquis, et pour vous faire voir
Que vous avez sur eux un absolu pouvoir,
Je n'écouterai plus cette humeur de conquête,
430 Et laissant tous les rois leurs couronnes en tête,
J'en prendrai seulement deux ou trois pour valets,
Qui viendront à genoux vous rendre mes poulets.

ISABELLE

L'éclat de tels suivants attirerait l'envie
Sur le rare bonheur où je coule ma vie.
435 Le commerce discret de nos affections
N'a besoin que de lui pour ces commissions.
(Elle montre Clindor.)

---

1. **Conquête :** conquiert.

MATAMORE

Vous avez, Dieu me sauve, un esprit à ma mode :
Vous trouvez comme moi la grandeur incommode.
Les sceptres les plus beaux n'ont pour moi rien d'exquis,
Je les rends aussitôt que je les ai conquis,   440
Et me suis vu charmer quantité de princesses
Sans que jamais mon cœur acceptât ces maîtresses.

ISABELLE

Certes en ce point seul je manque un peu de foi[1].
Que vous ayez quitté des princesses pour moi !
Qu'elles n'aient pu blesser un cœur dont je dispose !   445

MATAMORE

Je crois que la Montagne en saura quelque chose.
Viens çà : lorsqu'en la Chine, en ce fameux tournoi,
Je donnai dans la vue[2] aux deux filles du roi,
Sus-tu rien de leur flamme et de la jalousie
Dont pour moi toutes deux avaient l'âme saisie ?   450

CLINDOR

Par vos mépris enfin l'une et l'autre mourut.
J'étais lors en Égypte, où le bruit en courut,
Et ce fut en ce temps que la peur de vos armes
Fit nager le grand Caire en un fleuve de larmes :
Vous veniez d'assommer dix géants en un jour,   455
Vous aviez désolé le pays d'alentour,
Rasé quinze châteaux, aplani deux montagnes,
Fait passer par le feu villes, bourgs et campagnes,
Et défait vers Damas cent mille combattants.

MATAMORE

Que tu remarques bien et les lieux et les temps !   460
Je l'avais oublié.

ISABELLE

          Des faits si pleins de gloire
Vous peuvent-ils ainsi sortir de la mémoire ?

---

1. **Je manque un peu de foi :** j'ai du mal à vous croire.
2. **Je donnai dans la vue :** je fis bonne impression.

MATAMORE

Trop pleine des lauriers remportés sur nos rois,
465 Je ne la charge point de ces menus exploits.

PAGE

Monsieur...

MATAMORE

Que veux-tu, page ?

PAGE

Un courrier vous demande.

MATAMORE

D'où vient-il ?

PAGE

470 De la part de la reine d'Islande.

MATAMORE

Ciel qui sais comme quoi j'en suis persécuté,
Un peu plus de repos avec moins de beauté !
Fais qu'un si long mépris enfin la désabuse !

CLINDOR, *à Isabelle.*

Voyez ce que pour vous ce grand guerrier refuse.

ISABELLE

475 Je n'en puis plus douter.

CLINDOR

Il vous le disait bien.

MATAMORE

Elle m'a beau prier, non, je n'en ferai rien !
Et quoi qu'un fol espoir ose encor lui promettre,
Je lui vais envoyer sa mort dans une lettre.
480 Trouvez-le bon, ma reine, et souffrez cependant
Une heure d'entretien de ce cher confident,
Qui, comme de ma vie il sait toute l'histoire,
Vous fera voir sur qui vous avez la victoire.

ISABELLE

Tardez encore moins, et, par ce prompt retour,
485 Je jugerai quelle est envers moi votre amour.

Clefs d'analyse

Acte II, scènes 1 à 4.

Compréhension

▌ *La mise en scène*

• Préciser les changements de lieu et de décor qui se produisent entre l'acte I et l'acte II.

• Préciser la place qu'Alcandre et Pridamant occupent désormais sur scène par rapport aux autres personnages.

▌ *L'intrigue*

• Préciser la situation sentimentale de chacun des personnages.

• Préciser la double image que Matamore entend donner de lui (II, 2 et 4).

Réflexion

▌ *Un personnage héroï-comique*

• Analyser ce qui, dans les paroles de Matamore, appartient au registre épique (vocabulaire, images, procédés oratoires...).

• Analyser les effets comiques du discours de Matamore.

▌ *L'ironie*

• Analyser dans les répliques de Clindor (II, 2) puis celles d'Isabelle (II, 4) à Matamore les marques de l'ironie.

• Expliquer la manière dont Isabelle répond à Adraste (II, 3).

À retenir :

Il y a plusieurs manières de faire naître le comique : par les exagérations (hyperboles) ; par des effets d'accumulation ; par le démenti des paroles par les actes (comique de situation) ; par des flatteries prises pour argent comptant ; plus subtilement, par l'ironie. Tous ces procédés se retrouvent dans ces scènes. Malgré l'aspect effrayant de la grotte, L'Illusion comique *reste une comédie.*

Scène 5 CLINDOR, ISABELLE

CLINDOR

Jugez plutôt par là l'humeur du personnage :
Ce page n'est chez lui que pour ce badinage,
Et venir d'heure en heure avertir Sa Grandeur
D'un courrier, d'un agent, ou d'un ambassadeur.

ISABELLE

490 Ce message me plaît bien plus qu'il ne lui semble :
Il me défait d'un fou pour nous laisser ensemble.

CLINDOR

Ce discours favorable enhardira mes feux
À bien user d'un temps si propice à mes vœux.

ISABELLE

Que m'allez-vous conter ?

CLINDOR

495   Que j'adore Isabelle ;
Que je n'ai plus de cœur ni d'âme que pour elle ;
Que ma vie...

ISABELLE

        Épargnez ces propos superflus.
Je les sais, je les crois : que voulez-vous de plus ?
500 Je néglige à vos yeux l'offre d'un diadème,
Je dédaigne un rival, en un mot je vous aime.
C'est aux commencements des faibles passions
À s'amuser[1] encor aux protestations !
Il suffit de nous voir, au point où sont les nôtres ;
505 Un clin d'œil vaut pour vous tous les discours des autres.

CLINDOR

Dieux ! qui l'eût jamais cru, que mon sort rigoureux
Se rendît si facile à mon cœur amoureux !
Banni de mon pays par la rigueur d'un père,
Sans support, sans amis, accablé de misère,

---

1. **S'amuser** : s'attarder.

Et réduit à flatter le caprice arrogant   510
Et les vaines humeurs d'un maître extravagant,
En ce piteux état ma fortune si basse
Trouve encor quelque part en votre bonne grâce,
Et d'un rival puissant les biens et la grandeur
Obtiennent moins sur vous que ma sincère ardeur.   515

ISABELLE
C'est comme[1] il faut choisir, et l'amour véritable
S'attache seulement à ce qu'il voit d'aimable ;
Qui regarde les biens, ou la condition,
N'a qu'un amour avare ou plein d'ambition,
Et souille lâchement, par ce mélange infâme,   520
Les plus nobles désirs qu'enfante une belle âme.
Je sais bien que mon père a d'autres sentiments,
Et mettra de l'obstacle à nos contentements ;
Mais l'amour sur mon cœur a pris trop de puissance
Pour écouter encor les lois de la naissance.   525
Mon père peut beaucoup, mais bien moins que ma foi[2] :
Il a choisi pour lui, je veux choisir pour moi.

CLINDOR
Confus de voir donner à mon peu de mérite...

ISABELLE
Voici mon importun, souffrez que je l'évite.

Scène 6 ADRASTE, CLINDOR

ADRASTE
Que vous êtes heureux, et quel malheur me suit !   530
Ma maîtresse vous souffre, et l'ingrate me fuit !
Quelque goût qu'elle prenne en votre compagnie,
Sitôt que j'ai paru, mon abord l'a bannie[3] !

---

1. **C'est comme :** c'est ainsi que.
2. **Foi :** amour.
3. **Mon abord l'a bannie :** mon arrivée l'a fait partir.

CLINDOR

Sans qu'elle ait vu vos pas s'adresser en ce lieu,
535 Lasse de mes discours, elle m'a dit adieu.

ADRASTE

Lasse de vos discours ! votre humeur est trop bonne,
Et votre esprit trop beau pour ennuyer personne !
Mais que lui contiez-vous qui pût l'importuner ?

CLINDOR

Des choses qu'aisément vous pouvez deviner :
540 Les amours de mon maître, ou plutôt ses sottises,
Ses conquêtes en l'air, ses hautes entreprises.

ADRASTE

Voulez-vous m'obliger ? Votre maître ni vous
N'êtes pas gens tous deux à me rendre jaloux,
Mais, si vous ne pouvez arrêter ses saillies [1],
545 Divertissez [2] ailleurs le cours de ses folies.

CLINDOR

Que craignez-vous de lui, dont tous les compliments
Ne parlent que de morts et de saccagements,
Qu'il bat, terrasse, brise, étrangle, brûle, assomme ?

ADRASTE

Pour être son valet je vous trouve honnête homme ;
550 Vous n'avez point la mine à servir sans dessein
Un fanfaron plus fou que son discours n'est vain.
Quoi qu'il en soit, depuis que je vous vois chez elle,
Toujours de plus en plus je l'éprouve cruelle :
Ou vous servez quelque autre, ou votre qualité [3]
555 Laisse dans vos projets trop de témérité.
Je vous tiens fort suspect de quelque haute adresse.
Que votre maître enfin fasse une autre maîtresse,
Ou s'il ne peut quitter un entretien si doux,
Qu'il se serve du moins d'un autre que de vous.
560 Ce n'est pas qu'après tout les volontés d'un père

---

1. **Saillies :** emportements.
2. **Divertissez :** détournez.
3. **Votre qualité :** votre rang social.

Qui sait ce que je suis, ne terminent l'affaire ;
Mais purgez-moi l'esprit de ce petit souci,
Et, si vous vous aimez, bannissez-vous d'ici ;
Car si je vous vois plus regarder cette porte,
Je sais comme traiter les gens de votre sorte.   565

CLINDOR

Me croyez-vous bastant[1] de nuire à votre feu ?

ADRASTE

Sans réplique, de grâce, ou vous verrez beau jeu[2] !
Allez, c'est assez dit.

CLINDOR

          Pour un léger ombrage,
C'est trop indignement traiter un bon courage.   570
Si le ciel en naissant ne m'a fait grand seigneur,
Il m'a fait le cœur ferme et sensible à l'honneur,
Et je suis homme à rendre un jour ce qu'on me prête.

ADRASTE

Quoi ! vous me menacez ?

CLINDOR

             Non, non, je fais retraite.   575
D'un si cruel affront vous aurez peu de fruit,
Mais ce n'est pas ici qu'il faut faire du bruit.

Scène 7 ADRASTE, LISE

ADRASTE

Ce bélître[3] insolent me fait encor bravade.

LISE

À ce compte, Monsieur, votre esprit est malade ?

---

1. **Bastant :** capable.
2. **Vous verrez beau jeu :** vous le regretterez.
3. **Bélître :** homme de peu (terme injurieux).

ADRASTE

580 Malade, mon esprit ?

LISE

Oui, puisqu'il est jaloux
Du malheureux agent de ce prince des fous ?

ADRASTE

Je suis trop glorieux et crois trop d'Isabelle
Pour craindre qu'un valet me supplante auprès d'elle.
585 Je ne puis toutefois souffrir sans quelque ennui
Le plaisir qu'elle prend à rire avecque lui.

LISE

C'est dénier ensemble et confesser la dette[1].

ADRASTE

Nomme, si tu le veux, ma boutade indiscrète,
Et trouve mes soupçons bien ou mal à propos,
590 Je l'ai chassé d'ici pour me mettre en repos.
En effet, qu'en est-il ?

LISE

Si j'ose vous le dire,
Ce n'est plus que pour lui qu'Isabelle soupire.

ADRASTE

Ô Dieu, que me dis-tu ?

LISE

595 <center>Qu'il possède son cœur,</center>
Que jamais feux naissants[2] n'eurent tant de vigueur,
Qu'ils meurent l'un pour l'autre et n'ont qu'une pensée.

ADRASTE

Trop ingrate beauté, déloyale, insensée,
Tu m'oses donc ainsi préférer un maraud ?

---

1. **C'est dénier ensemble et confesser la dette :** nier et avouer en même temps, donc se contredire.
2. **Feux naissants :** amour naissant.

LISE

Ce rival orgueilleux le porte bien plus haut[1],   600
Et je vous en veux faire entière confidence :
Il se dit gentilhomme et riche.

ADRASTE

        Ah ! l'impudence !

LISE

D'un père rigoureux fuyant l'autorité,
Il a couru longtemps d'un et d'autre côté ;   605
Enfin, manque d'argent peut-être, ou par caprice,
De notre Rodomont[2] il s'est mis au service,
Où, choisi pour agent de ses folles amours,
Isabelle a prêté l'oreille à ses discours.
Il a si bien charmé cette pauvre abusée   610
Que vous en avez vu votre ardeur méprisée.
Mais parlez à son père, et bientôt son pouvoir
Remettra son esprit aux termes du devoir.

ADRASTE

Je viens tout maintenant d'en tirer assurance
De recevoir les fruits de ma persévérance,   615
Et devant qu'il soit peu nous en verrons l'effet.
Mais écoute, il me faut obliger tout à fait.

LISE

Où je vous puis servir, j'ose tout entreprendre.

ADRASTE

Peux-tu dans leurs amours me les faire surprendre ?

LISE

Il n'est rien plus aisé, peut-être dès ce soir   620

ADRASTE

Adieu donc. Souviens-toi de me les faire voir.
Cependant prends ceci[3] seulement par avance.

---

1. **Le porte bien plus haut :** fait le fier.
2. **Rodomont :** nom d'un autre soldat fanfaron d'origine italienne.
3. **Prends ceci :** Adraste donne un diamant à Lise, d'après une didascalie
de 1660.

LISE

Que le galant alors soit frotté[1] d'importance !

ADRASTE

Crois-moi qu'il se verra, pour te mieux contenter,
625 Chargé d'autant de bois qu'il en pourra porter.

Scène 8 LISE

L'arrogant croit déjà tenir ville gagnée,
Mais il sera puni de m'avoir dédaignée.
Parce qu'il est aimable, il fait le petit dieu,
Et ne veut s'adresser qu'aux filles de bon lieu[2] ;
630 Je ne mérite pas l'honneur de ses caresses :
Vraiment c'est pour son nez, il lui faut des maîtresses ;
Je ne suis que servante : et qu'est-il que valet ?
Si son visage est beau, le mien n'est pas trop laid ;
Il se dit riche et noble, et cela me fait rire :
635 Si loin de son pays, qui n'en peut autant dire ?
Qu'il le soit, nous verrons ce soir, si je le tiens,
Danser sous le cotret[3] sa noblesse et ses biens.

Scène 9 ALCANDRE, PRIDAMANT

ALCANDRE

Le cœur vous bat un peu.

PRIDAMANT

Je crains cette menace.

---

1. **Frotté :** frappé, étrillé.
2. **De bon lieu :** de bonne naissance.
3. **Cotret :** bâton.

ALCANDRE

Lise aime trop Clindor pour causer sa disgrâce.   640

PRIDAMANT

Elle en est méprisée et cherche à se venger.

ALCANDRE

Ne craignez point : l'amour la fera bien changer.

Clindor, par Jacques le Marquet,
pour la mise en scène de Georges Wilson au TNP, en 1966.

Clefs d'analyse

Acte II, scènes 5 à 9.

Compréhension

Les péripéties de l'amour

- Comparer les déclarations d'amour d'Adraste (II, 3) et de Clindor (II, 5) à Isabelle.
- Préciser le coup de théâtre qui intervient à la scène 7.

La montée des menaces

- Définir le rôle de Lise (II, 7).
- Observer la progression de la dramatisation dans les scènes 6 à 8.

Réflexion

Des amoureux blessés

- Analyser comment Adraste en vient à soupçonner Clindor d'être son rival (II, 6).
- Analyser les fonctions du monologue de Lise (II, 8).

Les réactions du « public »

- Expliquer pourquoi Alcandre cherche à rassurer Pridamant (II, 9).
- Discuter de l'intérêt de la scène 9.

À retenir :

Les péripéties sont des événements généralement imprévus qui engendrent la surprise. Elles naissent souvent d'un obstacle extérieur à la volonté des protagonistes. Les rivalités amoureuses entre Adraste et Clindor d'une part et entre Lise et Isabelle d'autre part forment ici une double péripétie.

Synthèse Acte II

Des péripéties comiques

Personnages

Des types conventionnels de la comédie

Grâce aux pouvoirs magiques d'Alcandre, les principaux personnages font leur apparition sur scène sous forme de « spectres parlants ». Chacun d'eux appartient à des types littéraires, depuis longtemps traditionnels dans la comédie.

Matamore incarne le soldat fanfaron, dont les origines remontent à l'Antiquité. Auprès de lui, Clindor endosse les habits d'un valet flatteur et rusé. Noble antipathique, Adraste est un soupirant repoussé.

Du côté des femmes, Lise se révèle une servante intrigante. Quant à Isabelle, elle est le type même de la jeune fille aimable, sûre d'elle-même et de ses sentiments.

Des rapports complexes se tissent entre ces personnages qui sont ou se disent amoureux. Lise aime Clindor qui aime Isabelle, qui l'aime en retour, mais qu'Adraste aime et que Matamore clame aimer. C'est le principe, adapté du roman pastoral, de la « chaîne amoureuse ».

Adraste veut se débarrasser de Clindor, que Lise veut punir de son indifférence. Ils associent leurs déceptions pour mieux se venger. Tout se met en place pour un traquenard.

Langage

Un comique omniprésent

Malgré la montée des obstacles, ce deuxième acte évolue pour l'essentiel sur le registre comique. Être de mots et qui se paie de mots, Matamore tient un discours sans cesse ridicule. Ses hyperboles, ses métaphores sont les principaux ressorts du comique. Non qu'elles le soient en elles-mêmes – ces procédés peuvent également relever du registre tragique –, mais parce

63

qu'elles sont sans prise sur la réalité. Isabelle use de l'ironie pour répondre à Matamore et à Adraste.

Société

L'idéal aristocratique en question

Même s'il n'est pas gentilhomme et même s'il n'est que van-tardises, Matamore se réfère à deux valeurs essentielles de l'idéal aristocratique : l'héroïsme et la galanterie. Ni l'une ni l'autre ne sont chez lui véritables. Matamore se déconsidère en même temps qu'il déconsidère cet idéal. En soi, ce n'est pas très grave, puisqu'il n'est qu'un poltron. Mais Adraste est, lui, un vrai noble. Or, galant en apparence, il est en réalité brutal et autoritaire, et il ne montre pas un grand courage. L'idéal aristocratique s'en trouve dégradé.

ACTE III

Scène 1 GÉRONTE, ISABELLE

GÉRONTE

Apaisez vos soupirs et tarissez vos larmes ;
Contre ma volonté ce sont de faibles armes ;
Mon cœur, quoique sensible à toutes vos douleurs,   645
Écoute la raison et néglige vos pleurs.
Je connais votre bien beaucoup mieux que vous-même.
Orgueilleuse, il vous faut, je pense, un diadème !
Et ce jeune baron, avec tout son bien,
Passe encore chez vous pour un homme de rien !   650
Que lui manque après tout ? Bien fait de corps et d'âme,
Noble, courageux, riche, adroit et plein de flamme,
Il vous fait trop d'honneur.

ISABELLE

              Je sais qu'il est parfait,
Et reconnais fort mal les honneurs qu'il me fait.   655
Mais, si votre bonté me permet en ma cause [1],
Pour me justifier, de dire quelque chose,
Par un secret instinct que je ne puis nommer
J'en fais beaucoup d'état, et ne le puis aimer.
De certains mouvements que le ciel nous inspire   660
Nous font aux yeux d'autrui souvent choisir le pire ;
C'est lui qui d'un regard fait naître en notre cœur
L'estime ou le mépris, l'amour ou la rigueur ;
Il attache ici-bas avec des sympathies
Les âmes que son choix a là-haut assorties ;   665
On n'en saurait unir sans ses avis secrets,
Et cette chaîne manque où manquent ses décrets.
Aller contre les lois de cette providence,
C'est le prendre à partie et blâmer sa prudence [2],

---

1. **En ma cause :** pour ce qui me concerne.
2. **Prudence :** sagesse.

670 L'attaquer en rebelle et s'exposer aux coups
Des plus âpres malheurs qui suivent son courroux.

GÉRONTE

Impudente, est-ce ainsi que l'on se justifie ?
Quel maître vous apprend cette philosophie ?
Vous en savez beaucoup, mais votre savoir
675 Ne m'empêchera pas d'user de mon pouvoir.
Si le ciel pour mon choix vous donne tant de haine,
Vous a-t-il mise en feu[1] pour ce grand capitaine ?
Ce guerrier valeureux vous tient-il dans ses fers[2],
Et vous a-t-il domptée avec tout l'univers ?
680 Ce fanfaron doit-il relever[3] ma famille ?

ISABELLE

Eh ! de grâce, Monsieur, traitez mieux votre fille !

GÉRONTE

Quel sujet donc vous porte à me désobéir ?

ISABELLE

Mon heur[4] et mon repos que je ne puis trahir :
Ce que vous appelez un heureux hyménée[5]
685 N'est pour moi qu'un enfer, si j'y suis condamnée.

GÉRONTE

Ah ! qu'il en est encor de mieux faites que vous
Qui se voudraient bien voir dans un enfer si doux !
Après tout, je le veux, cédez à ma puissance.

ISABELLE

Faites un autre essai de mon obéissance.

GÉRONTE

690 Ne me répliquez plus quand j'ai dit : « Je le veux. »
Rentrez, c'est désormais trop contesté nous deux.

---

1. **Vous a-t-il mise en feu :** vous a-t-il donné de l'amour.
2. **Dans ses fers :** en son pouvoir (métaphore précieuse du langage amoureux).
3. **Relever :** faire honneur.
4. **Heur :** bonheur.
5. **Hyménée :** mariage.

Scène 2 GÉRONTE

Qu'à présent la jeunesse a d'étranges manies !
Les règles du devoir lui sont des tyrannies,
Et les droits les plus saints deviennent impuissants
À l'empêcher de courre après son propre sens[1].   695
Mais c'est l'humeur du sexe : il aime à contredire
Pour secouer s'il peut le joug de notre empire[2],
Ne suit que son caprice en ses affections,
Et n'est jamais d'accord de nos élections[3].
N'espère pas pourtant, aveugle et sans cervelle,   700
Que ma prudence cède à ton esprit rebelle.
Mais ce fou viendra-t-il toujours m'embarrasser ?
Par force ou par adresse il me le faut chasser.

Scène 3 GÉRONTE, MATAMORE, CLINDOR

MATAMORE, *à Clindor.*
N'auras-tu point enfin pitié de ma fortune ?
Le Grand Vizir[4] encor de nouveau m'importune ;   705
Le Tartare[5] d'ailleurs m'appelle à son secours ;
Narsingue et Calicut[6] m'en pressent tous les jours :
Si je ne les refuse, il me faut mettre en quatre.

---

1. **Courre après son propre sens :** courir après ses sentiments.
2. **Empire :** autorité.
3. **D'accord de nos élections :** en accord avec nos choix.
4. **Grand Vizir :** Premier ministre de l'Empire ottoman.
5. **Tartare :** peuple d'Asie centrale.
6. **Narsingue et Calicut :** noms de deux royaumes de l'Inde sur la côte de Malabar, alors considérés comme les pays de l'or et des pierres précieuses.

CLINDOR

Pour moi je suis d'avis que vous les laissiez battre[1] :
710 Vous emploieriez trop mal vos invincibles coups
Si pour en servir un, vous faisiez trois jaloux.

MATAMORE

Tu dis bien, c'est assez de telles courtoisies ;
Je ne veux qu'en amour donner des jalousies.
Ah, Monsieur, excusez si, faute de vous voir,
715 Bien que si près de vous, je manquais au devoir.
Mais quelle émotion paraît sur ce visage ?
Où sont vos ennemis, que j'en fasse un carnage ?

GÉRONTE

Monsieur, grâces aux dieux, je n'ai point d'ennemis.

MATAMORE

Mais grâces à ce bras qui vous les a soumis.

GÉRONTE

720 C'est une grâce encor que j'avais ignorée.

MATAMORE

Depuis que ma faveur pour vous s'est déclarée,
Ils sont tous morts de peur, ou n'ont osé branler.

GÉRONTE

C'est ailleurs maintenant qu'il vous faut signaler :
Il fait beau voir ce bras plus craint que le tonnerre
725 Demeurer si paisible en un temps plein de guerre,
Et c'est pour acquérir un nom bien relevé,
D'être dans une ville à battre le pavé !
Chacun croit votre gloire à faux titre usurpée,
Et vous ne passez plus que pour traîneur d'épée.

MATAMORE

730 Ah ventre[2] ! il est tout vrai que vous avez raison !
Mais le moyen d'aller, si je suis en prison.
Isabelle m'arrête, et ses yeux pleins de charmes

---

1. **Battre :** se battre.
2. **Ventre :** abréviation du juron « ventrebleu ».

Ont captivé mon cœur et suspendu mes armes.

GÉRONTE

Si rien que son sujet ne vous tient arrêté,
Faites votre équipage[1] en toute liberté :   735
Elle n'est pas pour vous, n'en soyez point en peine.

MATAMORE

Ventre ! que dites-vous ? Je la veux faire reine !

GÉRONTE

Je ne suis pas d'humeur à rire tant de fois
Du grotesque récit de vos rares exploits.
La sottise ne plaît qu'alors qu'elle est nouvelle.   740
En un mot, faites reine une autre qu'Isabelle.
Si pour l'entretenir[2], vous venez plus ici...

MATAMORE

Il a perdu le sens de me parler ainsi !
Pauvre homme, sais-tu bien que mon nom effroyable
Met le Grand Turc en fuite et fait trembler le diable ?   745
Que, pour t'anéantir, je ne veux qu'un moment ?

GÉRONTE

J'ai chez moi des valets à mon commandement
Qui se connaissant mal à faire des bravades,
Répondraient de la main à vos rodomontades[3].

MATAMORE, *à Clindor.*

Dis-lui ce que j'ai fait en mille et mille lieux.   750

GÉRONTE

Adieu, modérez-vous, il vous en prendra mieux ;
Bien que je ne sois pas de ceux qui vous haïssent,
J'ai le sang un peu chaud, et mes gens m'obéissent.

---

1. **Faites votre équipage :** faites vos bagages.
2. **L'entretenir :** lui parler.
3. **Rodomontades :** vantardises.

Scène 4 <small>Matamore, Clindor</small>

Matamore

Respect de ma maîtresse, incommode vertu,
755 Tyran de ma vaillance, à quoi me réduis-tu ?
Que n'ai-je eu cent rivaux à la place d'un père
Sur qui, sans t'offenser, laisser choir ma colère ?
Ha ! visible démon, vieux spectre décharné,
Vrai suppôt de Satan, médaille de damné[1],
760 Tu m'oses donc bannir, et même avec menaces,
Moi de qui tous les rois briguent les bonnes grâces !

Clindor

Tandis qu'il est dehors, allez, dès aujourd'hui,
Causer de vos amours et vous moquer de lui.

Matamore

Cadédiou[2], ses valets feraient quelque insolence !

Clindor

765 Ce fer[3] a trop de quoi dompter leur violence.

Matamore

Oui, mais les feux[4] qu'il jette en sortant de prison[5]
Auraient en un moment embrasé la maison,
Dévoré tout à l'heure[6] ardoises et gouttières,
Faîtes, lattes, chevrons, montants, courbes, filières,
770 Entretoises, sommiers, colonnes, soliveaux,
Pannes, soles, appuis, jambages, traveteaux,
Portes, grilles, verrous, serrures, tuiles, pierre,
Plomb, fer, plâtre, ciment, peinture, marbre, verre,

---

1. **Médaille de damné :** tête de damné.
2. **Cadédiou :** tête de dieu (juron gascon).
3. **Fer :** épée.
4. **Feux :** étincelles.
5. **Prison :** métaphore désignant le fourreau de l'épée.
6. **Tout à l'heure :** tout de suite.

Caves, puits, cours, perrons, salles, chambres, greniers,
Offices, cabinets, terrasses, escaliers[1] :   775
Juge un peu quel désordre aux yeux de ma charmeuse !
Ces feux étoufferaient son ardeur amoureuse.
Va lui parler pour moi, toi qui n'es pas vaillant ;
Tu puniras à moins[2] un valet insolent.

CLINDOR

C'est m'exposer...   780

MATAMORE

      Adieu, je vois ouvrir la porte,
Et crains que sans respect cette canaille sorte.

---

1. **Ardoises... escaliers :** énumération de mots techniques empruntés
   au vocabulaire de la construction d'une maison.
2. **À moins :** en faisant moins de mal.

Clefs d'analyse

Acte III, scènes 1 à 4.

Compréhension

L'affrontement père-fille

- Relever les marques de l'autoritarisme de Géronte (vocabulaire, temps verbaux, ponctuation...).
- Observer l'habileté de la réponse d'Isabelle à son père (III, 1).

L'affrontement Géronte-Matamore

- Observer le retournement de situation dans la scène 3.
- Observer comment Matamore s'efforce de sauver les apparences quand pour la première fois quelqu'un refuse de se plier à ses extravagances (III, 3 et 4).

Réflexion

L'argumentation

- Analyser les arguments de Géronte puis ceux d'Isabelle pour justifier leurs positions respectives.
- Examiner l'impression que le discours de Géronte peut produire sur Pridamant.

Comédie et comique

- Analyser ce qui rattache Géronte à l'univers de la comédie.
- Analyser la virtuosité verbale de Matamore (III, 4).

À retenir :

Dans une pièce de théâtre (comédie ou tragédie), le nœud de l'action coïncide avec l'obstacle majeur que rencontrent les protagonistes. Cet obstacle peut être intérieur ou extérieur : intérieur, quand il naît d'une tendance ou d'une passion qui est en eux (l'avarice d'Harpagon par exemple) ; extérieur, lorsque la volonté du héros se heurte à celle d'un autre – comme ici, à l'autoritarisme de Géronte.

Scène 5 CLINDOR, LISE

CLINDOR

Le souverain poltron, à qui pour faire peur
Il ne faut qu'une feuille, une ombre, une vapeur !
Un vieillard le maltraite, il fuit pour une fille,   785
Et tremble à tous moments de crainte qu'on l'étrille !
Lise, que ton abord doit être dangereux !
Il donne l'épouvante à ce cœur généreux[1],
Cet unique vaillant, la fleur des capitaines,
Qui dompte autant de rois qu'il captive de reines.   790

LISE

Mon visage est ainsi malheureux en attraits :
D'autres charment de loin, le mien fait peur de près.

CLINDOR

S'il fait peur à des fous, il charme les plus sages ;
Il n'est pas quantité de semblables visages ;
Si l'on brûle pour toi, ce n'est pas sans sujet ;   795
Je ne connus jamais un si gentil objet :
L'esprit beau, prompt, accort[2], l'humeur un peu railleuse,
L'embonpoint[3] ravissant, la taille avantageuse,
Les yeux doux, le teint vif et les traits délicats,
Qui serait le brutal qui ne t'aimerait pas ?   800

LISE

De grâce, et depuis quand me trouvez-vous si belle ?
Voyez bien, je suis Lise, et non pas Isabelle !

CLINDOR

Vous partagez vous deux mes inclinations :
J'adore sa fortune et tes perfections.

---

1. **Généreux :** courageux.
2. **Accort :** avisé.
3. **Embonpoint :** silhouette, allure générale.

73

LISE

805 Vous en embrassez[1] trop : c'est assez pour vous d'une,
Et mes perfections cèdent à sa fortune.

CLINDOR

Bien que pour l'épouser je lui donne ma foi,
Penses-tu qu'en effet je l'aime plus que toi ?
L'amour et l'hyménée ont diverse méthode :
810 L'un court au plus aimable, et l'autre au plus commode.
Je suis dans la misère, et tu n'as point de bien ;
Un rien s'assemble mal avec un autre rien.
Mais si tu ménageais ma flamme avec adresse,
Une femme est sujette, une amante est maîtresse.
815 Les plaisirs sont plus grands à se voir moins souvent ;
La femme les achète, et l'amante les vend ;
Un amour par devoir bien aisément s'altère ;
Les nœuds en sont plus forts quand il est volontaire ;
Il hait toute contrainte, et son plus doux appas
820 Se goûte quand on aime et qu'on peut n'aimer pas.
Seconde avec douceur celui que je te porte.

LISE

Vous me connaissez trop pour m'aimer de la sorte,
Et vous en parlez moins de votre sentiment
Qu'à dessein de railler par divertissement.
825 Je prends tout en riant comme vous me le dites.
Allez continuer cependant vos visites.

CLINDOR

Un peu de tes faveurs me rendrait plus content.

LISE

Ma maîtresse là-haut est seule, et vous attend.

CLINDOR

Tu me chasses ainsi !

LISE

830 Non, mais je vous envoie

---

1. **Vous en embrassez trop :** vous en voulez trop.

Aux lieux où vous trouvez votre heur et votre joie.

CLINDOR

Que même tes dédains me semblent gracieux !

LISE

Ah ! que vous prodiguez un temps si précieux !
Allez...

CLINDOR

Souviens-toi donc...   835

LISE

De rien que m'ait pu dire...

CLINDOR

Un amant...

LISE

Un causeur qui prend plaisir à rire.

Scène 6 <small>LISE</small>

L'ingrat ! il trouve enfin mon visage charmant,
Et pour me suborner[1] il contrefait l'amant !   840
Qui hait ma sainte ardeur m'aime dans l'infamie,
Me dédaigne pour femme et me veut pour amie !
Perfide, qu'as-tu vu dedans mes actions
Qui te dût enhardir à ces prétentions ?
Qui t'a fait m'estimer digne d'être abusée,   845
Et juger mon honneur une conquête aisée ?
J'ai tout pris en riant, mais c'était seulement
Pour ne t'avertir pas de mon ressentiment.
Qu'eût produit son éclat[2] que de la défiance ?
Qui cache sa colère assure sa vengeance,   850

---

1. **Suborner :** tromper.
2. **Éclat :** emportement.

Et ma feinte douceur, te laissant espérer,
Te jette dans les rets que j'ai su préparer.
Va, traître, aime en tous lieux et partage ton âme,
Choisis qui tu voudras pour maîtresse et pour femme,
855 Donne à l'une ton cœur, donne à l'autre ta foi,
Mais ne crois plus tromper Isabelle ni moi.
Ce long calme bientôt va tourner en tempête,
Et l'orage est tout prêt à fondre sur ta tête :
Surpris par un rival dans ce cher entretien,
860 Il vengera d'un coup son malheur et le mien.
Toutefois qu'as-tu fait qui t'en rende coupable ?
Pour chercher sa fortune est-on si punissable ?
Tu m'aimes, mais le bien[1] te fait être inconstant :
Au siècle où nous vivons qui n'en ferait autant ?
865 Oublions les projets de sa flamme maudite,
Et laissons-le jouir du bonheur qu'il mérite.
Que de pensers divers en mon cœur amoureux,
Et que je sens dans l'âme un combat rigoureux !
Perdre qui me chérit ! épargner qui m'affronte !
870 Ruiner ce que j'aime ! aimer qui veut ma honte !
L'amour produira-t-il un si cruel effet ?
L'impudent rira-t-il de l'affront qu'il m'a fait ?
Mon amour me séduit[2], et ma haine m'emporte ;
L'une[3] peut tout sur moi, l'autre n'est pas moins forte.
875 N'écoutons plus l'amour pour un tel suborneur,
Et laissons à la haine assurer mon honneur.

---

1. **Bien :** richesse.
2. **Me séduit :** m'aveugle.
3. **L'une :** l'amour (alors souvent du genre féminin).

Scène 7 MATAMORE

Les voilà, sauvons-nous ! Non, je ne vois personne.
Avançons hardiment. Tout le corps me frissonne.
Je les entends, fuyons. Le vent faisait ce bruit.
Coulons-nous en faveur des ombres[1] de la nuit.   880
Vieux rêveur, malgré toi j'attends ici ma reine.
Ces diables de valets me mettent bien en peine.
De deux mille ans et plus je ne tremblai si fort.
C'est trop me hasarder : s'ils sortent, je suis mort ;
Car j'aime mieux mourir que leur donner bataille,   885
Et profaner mon bras contre cette canaille.
Que le courage expose à d'étranges dangers !
Toutefois en tout cas je suis des plus légers ;
S'il ne faut que courir, leur attente est dupée ;
J'ai le pied pour le moins aussi bon que l'épée.   890
Tout de bon, je les vois. C'est fait[2], il faut mourir.
J'ai le corps tout glacé, je ne saurais courir.
Destin, qu'à ma valeur tu te montres contraire !
C'est ma reine, elle-même, avec mon secrétaire.
Tout mon corps se déglace. Écoutons leurs discours,   895
Et voyons son adresse à traiter mes amours.

Scène 8 CLINDOR, ISABELLE, MATAMORE

ISABELLE

Tout se prépare mal du côté de mon père ;
Je ne le vis jamais d'une humeur si sévère ;

---

1. **En faveur des ombres :** en profitant de l'obscurité.
2. **C'est fait :** c'en est fait.

Il ne souffrira plus votre maître ni vous.
900 Notre baron d'ailleurs est devenu jaloux,
Et c'est aussi pourquoi je vous ai fait descendre :
Dedans mon cabinet[1], ils nous pourraient surprendre ;
Ici nous causerons en plus de sûreté ;
Vous pourrez vous couler[2] d'un et d'autre côté,
905 Et, si quelqu'un survient, ma retraite est ouverte.

CLINDOR

C'est trop prendre de soin pour empêcher ma perte.

ISABELLE

Je n'en puis prendre trop pour conserver un bien
Sans qui tout l'univers ensemble ne m'est rien.
Oui, je fais plus d'état d'avoir gagné votre âme
910 Que si tout l'univers me connaissait pour dame[3].
Un rival par mon père attaque en vain ma foi,
Votre amour seul a droit de triompher de moi.
Des discours de tous deux je suis persécutée ;
Mais pour vous je me plais à être maltraitée ;
915 Il n'est point de tourments qui ne me semblent doux,
Si ma fidélité les endure pour vous.

CLINDOR

Vous me rendez confus, et mon âme ravie
Ne vous peut en revanche offrir rien que ma vie.
Mon sang est le seul bien qui me reste en ces lieux,
920 Trop heureux de le perdre en servant vos beaux yeux.
Mais si mon astre[4] un jour, changeant son influence,
Me donne un accès libre aux lieux de ma naissance,
Vous verrez que ce choix n'est pas tant inégal,
Et que, tout balancé[5], je vaux bien un rival.

---

1. **Cabinet :** petite pièce privée où l'on se retire pour converser ou travailler.
2. **Vous couler :** vous faufiler.
3. **Dame :** reine.
4. **Astre :** horoscope.
5. **Tout balancé :** tout bien pesé.

Cependant, mon souci, permettez-moi de craindre 925
Qu'un père et ce rival ne veuillent vous contraindre.

ISABELLE

J'en sais bien le remède, et croyez qu'en ce cas
L'un aura moins d'effet que l'autre n'a d'appas.
Je ne vous dirai point où[1] je suis résolue :
Il suffit que sur moi je me rends absolue, 930
Que leurs plus grands efforts sont des efforts en l'air,
Et que...

MATAMORE

C'est trop souffrir, il est temps de parler !

ISABELLE

Dieux ! on nous écoutait !

CLINDOR

C'est notre capitaine. 935
Je vais bien l'apaiser, n'en soyez pas en peine.

Scène 9 MATAMORE, CLINDOR

MATAMORE

Ah, traître !

CLINDOR

Parlez bas : ces valets...

MATAMORE

Eh bien, quoi ?

CLINDOR

Ils fondront tout à l'heure et sur vous et sur moi. 940

MATAMORE

Viens çà, tu sais ton crime, et qu'à l'objet que j'aime
Loin de parler pour moi, tu parlais pour toi-même.

---

1. **Où :** à quoi.

CLINDOR

Oui, j'ai pris votre place et vous ai mis dehors.

MATAMORE

Je te donne le choix de trois ou quatre morts.
945 Je vais d'un coup de poing te briser comme verre,
Ou t'enfoncer tout vif au centre de la Terre,
Ou te fendre en dix parts d'un seul coup de revers,
Ou te jeter si haut au-dessus des éclairs
Que tu sois dévoré des feux élémentaires[1].
950 Choisis donc promptement, et songe à tes affaires.

CLINDOR

Vous-même choisissez.

MATAMORE

Quel choix proposes-tu ?

CLINDOR

De fuir en diligence[2] ou d'être bien battu.

MATAMORE

Me menacer encor ! ah, ventre, quelle audace !
955 Au lieu d'être à genoux et d'implorer ma grâce !
Il a donné le mot, ces valets vont sortir !
Je m'en vais commander aux mers de t'engloutir.

CLINDOR

Sans vous chercher si loin un si grand cimetière,
Je vous vais de ce pas jeter dans la rivière.

MATAMORE

960 Ils sont d'intelligence, ah, tête[3].

CLINDOR

Point de bruit !
J'ai déjà massacré dix hommes cette nuit,
Et si vous me fâchez vous en croîtrez le nombre.

---

1. **Feux élémentaires :** le ciel dans sa partie la plus haute.
2. **En diligence :** en toute hâte.
3. **Tête :** juron.

MATAMORE

Cadédiou, ce coquin a marché dans mon ombre !
Il s'est fait tout vaillant d'avoir suivi mes pas.   965
S'il avait du respect, j'en voudrais faire cas.
Écoute, je suis bon, et ce serait dommage
De priver l'univers d'un homme de courage :
Demande-moi pardon et quitte cet objet
Dont les perfections m'ont rendu son sujet ;   970
Tu connais ma valeur, éprouve ma clémence.

CLINDOR

Plutôt, si votre amour a tant de véhémence,
Faisons deux coups d'épée au nom de sa beauté.

MATAMORE

Parbieu, tu me ravis de générosité !
Va, pour la conquérir n'use plus d'artifices,   975
Je te la veux donner pour prix de tes services.
Plains-toi dorénavant d'avoir un maître ingrat !

CLINDOR

À ce rare présent d'aise le cœur me bat.
Protecteur des grands rois, guerrier trop magnanime,
Puisse tout l'univers bruire de votre estime !   980

Scène 10 ISABELLE, MATAMORE, CLINDOR

ISABELLE

Je rends grâces au ciel de ce qu'il a permis
Qu'à la fin sans combat je vous vois bons amis.

MATAMORE

Ne pensez plus, ma reine, à l'honneur que ma flamme
Vous devait faire un jour de vous prendre pour femme :
Pour quelque occasion[1] j'ai changé de dessein ;   985

---

1. **Occasion** : raison personnelle.

Mais je veux donner un homme de ma main[1].
Faites-en de l'état, il est vaillant lui-même :
Il commandait sous moi.

ISABELLE

Pour vous plaire, je l'aime.

CLINDOR

990   Mais il faut du silence à notre affection.

MATAMORE

Je vous promets silence et ma protection.
Avouez-vous de moi par tous les coins du monde :
Je suis craint à l'égal sur la terre et sur l'onde.
Allez, vivez contents sous une même loi.

ISABELLE

995   Pour mieux vous obéir, je lui donne ma foi.

CLINDOR

Commandez que sa foi soit d'un baiser suivie.

MATAMORE

Je le veux.

Scène 11
GÉRONTE, ADRASTE,
MATAMORE, CLINDOR,
ISABELLE, LISE, TROUPE
DE DOMESTIQUES

ADRASTE

Ce baiser va te coûter la vie,
Suborneur !

MATAMORE

1000   Ils ont pris mon courage en défaut.
Cette porte est ouverte, allons gagner le haut.

---

1. **Un homme de ma main :** un homme à mon service.

CLINDOR

Traître qui te fais fort d'une troupe brigande,
Je te choisirai bien au milieu de la bande !

GÉRONTE

Dieux ! Adraste est blessé, courez au médecin !
Vous autres cependant, arrêtez l'assassin.   1005

CLINDOR

Hélas, je cède au nombre ! Adieu, chère Isabelle !
Je tombe au précipice où mon destin m'appelle.

GÉRONTE

C'en est fait. Emportez ce corps à la maison.
Et vous, conduisez tôt ce traître à la prison.

Scène 12 ALCANDRE, PRIDAMANT

PRIDAMANT

Hélas ! mon fils est mort !   1010

ALCANDRE

                    Que vous avez d'alarmes !

PRIDAMANT

Ne lui refusez point le secours de vos charmes.

ALCANDRE

Un peu de patience, et, sans un tel secours,
Vous le verrez bientôt heureux en ses amours.

Clefs d'analyse

Acte III, scènes 5 à 12.

Compréhension

De vraies fausses ruptures

- Chercher ce qui apparente la scène 5 à une scène de rupture entre Clindor et Lise.
- Observer comment Matamore, soupirant dédaigné et ridicule, sauve la face et les apparences.

Un rebondissement dramatique

- Observer comment l'embuscade, prévisible dès l'acte II, dépasse les prévisions de Lise et du spectateur (III, 11).
- Observer la réaction, de nouveau rassurante, d'Alcandre (III, 12).

Réflexion

Amour et argent

- Analyser et commenter l'antipathie soudaine que les cyniques propos de Clindor à Lise peuvent inspirer au public (III, 5).
- Analyser l'ironie de Lise dans ses répliques à Clindor (III, 5).

Deux monologues opposés

- Analyser ce qui, dans la scène 6, éloigne Lise de l'univers de la comédie (champs lexicaux, registres, procédés oratoires...).
- Analyser l'effet que produit le monologue de Matamore (III, 7) qui intervient juste après celui de Lise.

À retenir :

Pour être parfaite, la péripétie doit non seulement créer la surprise mais encore être réversible. La surprise tient à la mort d'Adraste et à l'emprisonnement de Clindor. Mais le retournement de situation est suggéré par les propos d'Adraste.

Isabelle, par Jacques le Marquet,
pour la mise en scène de Georges Wilson au TNP, en 1966.

Synthèse Acte III

Comédie et tragédie

Personnages

Menaces, imprudences et périls

Certaines rivalités amoureuses se dénouent, d'autres se renforcent. Géronte (III, 3) puis Clindor (III, 9) éliminent Matamore. Leurs menaces suffisent à lui faire renoncer à Isabelle. Mais comme ce poltron ne veut pas déchoir à ses propres yeux, ce n'est pas Clindor qui lui prend Isabelle, c'est lui qui s'offre à la lui donner (III, 9 et 10) ! Matamore était le rival le plus facile à éliminer. En fut-il d'ailleurs vraiment un ? En revanche, la coalition des soupirants déçus se renforce. Adraste, appuyé par Géronte (III, 8 et 11), fait cause commune avec Lise, humiliée, pour neutraliser Clindor et contraindre Isabelle.

Si leur amour est menacé de l'extérieur, il semble l'être aussi de l'intérieur. Clindor apparaît en effet sous un jour nouveau et déplaisant. Il se livre à deux déclarations d'amour : l'une, cynique, à Lise (III, 5), et l'autre, émouvante, à Isabelle (III, 8). Laquelle est vraiment sincère ?

L'acte s'achève ainsi logiquement en tragédie. La bastonnade prévue tourne au drame.

Langage

Comique et tragique

Fidèle à lui-même, c'est-à-dire à sa peur, Matamore continue de faire rire. Il se surpasse même dans le ridicule. L'étourdissante énumération des parties de la maison qui s'enflammeraient sous les étincelles de son épée (III, 4) crée une savoureuse fantaisie verbale.

Le monologue de Lise (III, 6) pourrait, quant à lui, figurer dans une tragédie. Son débat intérieur, ses apostrophes au « perfide »

(v. 843) et au « traitre » (v. 853), les champs lexicaux de la colère et de la vengeance, les procédés oratoires de l'antithèse, de l'interrogation et de l'exclamation traduisent ses hésitations, le désir de punir un « ingrat » et l'impossibilité de perdre celui qu'elle aime.

Société

Le mariage forcé

Au XVIIᵉ siècle, une jeune fille a besoin de l'autorisation de ses parents (ou de son tuteur légal) pour se marier. Géronte n'outrepasse donc pas ses droits ; il les exerce, fût-ce maladroitement. C'est pourquoi la comédie, qui, contrairement à la tragédie, traite des affaires domestiques et familiales, privilégie les conflits qu'un projet de mariage suscite entre les parents et les enfants. Le mariage forcé dont est menacée Isabelle renvoie à cette réalité sociale. Bien des spectatrices de l'époque devaient se reconnaître en Isabelle, luttant pour sa liberté et le droit d'épouser l'homme qu'elle a choisi.

ACTE IV

Scène 1 ISABELLE

1015 Enfin le terme approche : un jugement inique
Doit faire agir demain un pouvoir tyrannique,
À son propre assassin immoler mon amant,
Et faire une vengeance au lieu d'un châtiment.
Par un décret injuste autant comme sévère,
1020 Demain doit triompher la haine de mon père,
La faveur du pays, l'autorité du mort,
Le malheur d'Isabelle et la rigueur du sort.
Hélas ! que d'ennemis, et de quelle puissance,
Contre le faible appui que donne l'innocence,
1025 Contre un pauvre inconnu, de qui tout le forfait
C'est de m'avoir aimée et d'être trop parfait !
Oui, Clindor, tes vertus et ton feu légitime,
T'ayant acquis mon cœur, ont fait aussi ton crime.
Contre elles un jaloux fit son traître dessein,
1030 Et reçut le trépas qu'il portait dans ton sein.
Qu'il eût valu bien mieux à ta valeur trompée
Offrir ton estomac ouvert[1] à son épée,
Puisque loin de punir ceux qui t'ont attaqué,
Les lois vont achever le coup qu'ils ont manqué !
1035 Tu fusses mort alors, mais sans ignominie,
Ta mort n'eût point laissé ta mémoire ternie,
On n'eût point vu le faible opprimé du puissant,
Ni mon pays souillé du sang d'un innocent,
Ni Thémis[2] endurer l'indigne violence
1040 Qui pour l'assassiner emprunte sa balance.
Hélas ! et de quoi sert à mon cœur enflammé
D'avoir fait un beau choix et d'avoir bien aimé,
Si mon amour fatal te conduit au supplice
Et m'apprête à moi-même un mortel précipice !

---

1. **Estomac ouvert :** poitrine nue.
2. **Thémis :** déesse grecque de la Justice.

Car en vain après toi l'on me laisse le jour,   1045
Je veux perdre la vie en perdant mon amour,
Prononçant ton arrêt, c'est de moi qu'on dispose,
Je veux suivre ta mort puisque j'en suis la cause,
Et le même moment verra par deux trépas
Nos esprits amoureux se rejoindre là-bas[1].   1050
Ainsi, père inhumain, ta cruauté déçue
De nos saintes ardeurs verra l'heureuse issue,
Et si ma perte alors fait naître tes douleurs,
Auprès de mon amant je rirai de tes pleurs ;
Ce qu'un remords cuisant te coûtera de larmes   1055
D'un si doux entretien augmentera les charmes ;
Ou s'il n'a pas assez de quoi te tourmenter,
Mon ombre[2] chaque jour viendra t'épouvanter,
S'attacher à tes pas dans l'horreur des ténèbres,
Présenter à tes yeux mille images funèbres,   1060
Jeter dans ton esprit un éternel effroi,
Te reprocher ma mort, t'appeler après moi,
Accabler de malheurs ta languissante vie,
Et te réduire au point de me porter envie.
Enfin...   1065

Scène 2   ISABELLE, LISE

LISE
Quoi ! chacun dort, et vous êtes ici !
Je vous jure, Monsieur en est en grand souci.

ISABELLE
Quand on n'a plus d'espoir, Lise, on n'a plus de crainte.
Je trouve des douceurs à faire ici ma plainte :
Ici je vis Clindor pour la dernière fois ;   1070
Ce lieu me redit mieux les accents de sa voix,

---

1. **Là-bas :** aux Enfers.
2. **Mon ombre :** mon fantôme.

Et remet plus avant dans ma triste pensée
L'aimable souvenir de mon amour passée.

LISE

Que vous prenez de peine à grossir vos ennuis !

ISABELLE

1075   Que veux-tu que je fasse en l'état où je suis ?

LISE

De deux amants dont vous étiez servie,
L'un est mort, et l'autre demain perdra la vie :
Sans perdre plus de temps à soupirer pour eux,
Il en faut trouver un qui les vaille tous les deux.

ISABELLE

1080   Impudente, oses-tu me tenir ces paroles ?

LISE

Quel fruit espérez-vous de vos douleurs frivoles ?
Pensez-vous, pour pleurer et ternir vos appas,
Rappeler votre amant des portes du trépas ?
Songez plutôt à faire une illustre conquête ;
1085   Je sais pour vos liens une âme toute prête,
Un homme incomparable.

ISABELLE

Ôte-toi de mes yeux.

LISE

Le meilleur jugement ne choisirait pas mieux.

ISABELLE

Pour croître mes douleurs faut-il que je te voie ?

LISE

1090   Et faut-il qu'à vos yeux je déguise ma joie ?

ISABELLE

D'où te vient cette joie ainsi hors de saison ?

LISE

Quand je vous l'aurai dit, jugez si j'ai raison.

ISABELLE

Ah ! ne me conte rien !

LISE
Mais l'affaire vous touche.

ISABELLE
Parle-moi de Clindor ou n'ouvre point la bouche.   1095

LISE
Ma belle humeur qui rit au milieu des malheurs
Fait plus en un moment qu'un siècle de vos pleurs :
Elle a sauvé Clindor.

ISABELLE
Sauvé Clindor ?

LISE
Lui-même.   1100
Et puis, après cela, jugez si je vous aime !

ISABELLE
Et de grâce, où faut-il que je l'aille trouver ?

LISE
Je n'ai que commencé, c'est à vous d'achever.

ISABELLE
Ah, Lise !

LISE
Tout de bon, seriez-vous pour le suivre[1] ?   1105

ISABELLE
Si je suivrais celui sans qui je ne puis vivre ?
Lise, si ton esprit ne le tire des fers,
Je l'accompagnerai jusque dans les enfers.
Va, ne m'informe plus[2] si je suivrais sa fuite !

LISE
Puisque à ce beau dessein l'amour vous a réduite,   1110
Écoutez où j'en suis et secondez mes coups :
Si votre amant n'échappe, il ne tiendra qu'à vous.
La prison est fort proche.

---

1. **Pour le suivre :** prête à le suivre.
2. **Ne m'informe plus :** ne me demande plus.

ISABELLE

Eh bien ?

LISE

1115   Le voisinage
Au frère du concierge a fait voir mon visage ;
Et comme c'est tout un que me voir et m'aimer,
Le pauvre malheureux s'en est laissé charmer.

ISABELLE

Je n'en avais rien su !

LISE

1120   J'en avais tant de honte
Que je mourais de peur qu'on vous en fît le conte.
Mais depuis quatre jours votre amant arrêté [1]
A fait que, l'allant voir, je l'ai mieux écouté ;
Des yeux et du discours flattant son espérance,
1125 D'un mutuel amour j'ai formé l'apparence :
Quand on aime une fois et qu'on se croit aimé,
On fait tout pour l'objet [2] dont on est enflammé ;
Par là j'ai sur son âme assuré mon empire,
Et l'ai mis en état de ne m'oser dédire.
1130 Quand il n'a plus douté de mon affection,
J'ai fondé mes refus sur sa condition [3] ;
Et lui, pour m'obliger, jurait de s'y déplaire ;
Mais que malaisément il s'en pouvait défaire,
Que les clefs des prisons qu'il gardait aujourd'hui
1135 Étaient le plus grand bien de son frère et de lui.
Moi de prendre mon temps, que sa bonne fortune
Ne lui pouvait offrir d'heure plus opportune ;
Que, pour se faire riche et pour me posséder,
Il n'avait seulement qu'à s'en accommoder [4] ;
1140 Qu'il tenait dans ses fers un seigneur de Bretagne
Déguisé sous le nom du sieur de la Montagne ;

---

1. **Votre amant arrêté :** l'arrestation de votre amant.
2. **Objet :** personne aimée.
3. **Condition :** rang social.
4. **S'en accommoder :** se décider.

Qu'il fallait le sauver et le suivre chez lui ;
Qu'il nous ferait du bien et serait notre appui.
Il demeure étonné ; je le presse, il s'excuse[1] ;
Il me parle d'amour, et moi je le refuse ;   1145
Je le quitte en colère, il me suit tout confus,
Me fait nouvelle excuse, et moi nouveau refus.

ISABELLE

Mais enfin ?

LISE

      J'y retourne, et le trouve fort triste ;
Je le juge ébranlé ; je l'attaque, il résiste.   1150
Ce matin : « En un mot, le péril est pressant,
Ai-je dit ; tu peux tout, et ton frère est absent.
— Mais il faut de l'argent pour un si long voyage,
M'a-t-il dit, il en faut pour faire l'équipage ;
Ce cavalier en manque. »   1155

ISABELLE

      Ah ! Lise tu devais
Lui faire offre en ce cas de tout ce que j'avais,
Perles, bagues, habits.

LISE

      J'ai bien fait encor pire :
J'ai dit que c'est pour vous que ce captif soupire,   1160
Que vous l'aimez de même et fuiriez avec nous.
Ce mot me l'a rendu si traitable et si doux,
Que j'ai bien reconnu qu'un peu de jalousie
Touchant votre Clindor brouillait sa fantaisie[2],
Et que tous ces délais provenaient seulement   1165
D'une vaine frayeur qu'il ne fût mon amant.
Il est parti soudain après votre amour sue[3],
A trouvé tout aisé, m'en a promis l'issue[4]

---

1. **S'excuse :** il refuse poliment.
2. **Brouillait sa fantaisie :** troublait son esprit.
3. **Votre amour sue :** après avoir su votre amour.
4. **Issue :** réussite.

Qu'il allait y pourvoir, et que vers la minuit
1170 Vous fussiez toute prête à déloger sans bruit.

ISABELLE

Que tu me rends heureuse !

LISE

                    Ajoutez-y, de grâce,
Qu'accepter un mari pour qui je suis de glace,
C'est me sacrifier à vos contentements.

ISABELLE

1175 Aussi...

LISE

              Je ne veux point de vos remerciements.
Allez ployer[1] bagage, et n'épargnez en somme
Ni votre cabinet ni celui du bonhomme.
Je vous vends ses trésors, mais à fort bon marché :
1180 J'ai dérobé ses clefs depuis qu'il est couché ;
Je vous les livre.

ISABELLE

                    Allons faire le coup ensemble.

LISE

Passez-vous de mon aide.

ISABELLE

                    Eh quoi ! le cœur te tremble.

LISE

1185 Non, mais c'est un secret tout propre à l'éveiller :
Nous ne nous garderions jamais de babiller.

ISABELLE

Folle, tu ris toujours !

LISE

                    De peur d'une surprise,
Je dois attendre ici le chef de l'entreprise :
1190 S'il tardait à la rue, il serait reconnu.

---

1. **Ployer :** plier.

Nous vous irons trouver dès qu'il sera venu.
C'est là sans raillerie[1].

ISABELLE

Adieu donc, je te laisse,

Et consens que tu sois aujourd'hui la maîtresse.

LISE

C'est du moins.   1195

ISABELLE

Fais bon guet.

LISE

Vous, faites bon butin.

Scène 3 ^{LISE}

Ainsi, Clindor, je fais moi seule ton destin :
Des fers où je t'ai mis, c'est moi qui te délivre,
Et te puis, à mon choix, faire mourir ou vivre.   1200
On me vengeait de toi par-delà mes désirs ;
Je n'avais de dessein que contre tes plaisirs ;
Ton sort trop rigoureux m'a fait changer d'envie ;
Je te veux assurer tes plaisirs et ta vie,
Et mon amour éteint, te voyant en danger,   1205
Renaît pour m'avertir que c'est trop me venger.
J'espère aussi, Clindor, que pour reconnaissance,
Tu réduiras pour moi tes vœux dans l'innocence ;
Qu'un mari me tenant en sa possession,
Sa présence vaincra ta folle passion ;   1210
Ou que, si cette ardeur encore te possède,
Ma maîtresse avertie y mettra bon remède.

---

1. **C'est là sans raillerie :** je le dis sérieusement.

Costume de Matamore par Jacques le Marquet,
pour la mise en scène de Georges Wilson au TNP, en 1966.

Scène 4 Matamore, Isabelle, Lise

ISABELLE
Quoi ! chez nous et de nuit !

MATAMORE
L'autre jour...

ISABELLE
Qu'est ceci,   1215
L'autre jour ? Est-il temps que je vous trouve ici ?

LISE
C'est ce grand capitaine ? Où s'est-il laissé prendre ?

ISABELLE
En montant l'escalier, je l'en ai vu descendre.

MATAMORE
L'autre jour, au défaut de mon affection,
J'assurai vos appas de ma protection.   1220

ISABELLE
Après ?

MATAMORE
On vint ici faire une brouillerie[1] ;
Vous rentrâtes, voyant cette forfanterie[2],
Et pour vous protéger je vous suivis soudain.

ISABELLE
Votre valeur prit lors un généreux dessein.   1225
Depuis ?

MATAMORE
Pour conserver une dame si belle,
Au plus haut du logis j'ai fait la sentinelle.

ISABELLE
Sans sortir ?

---

1. **Brouillerie :** mêlée violente.
2. **Forfanterie :** agitation.

MATAMORE

1230   Sans sortir.

LISE
C'est-à-dire, en deux mots,
Qu'il s'est caché de peur dans la chambre aux fagots.

MATAMORE
De peur ?

LISE
Oui, vous tremblez, la vôtre est sans égale.

MATAMORE
1235 Parce qu'elle a bon pas, j'en fais mon Bucéphale[1].
Lorsque je la domptai, je lui fis cette loi,
Et depuis, quand je marche, elle tremble sous moi.

LISE
Votre caprice est rare à choisir des montures.

MATAMORE
C'est pour aller plus vite aux grandes aventures.

ISABELLE
1240 Vous en exploitez bien[2], mais changeons de discours :
Vous avez demeuré là-dedans quatre jours ?

MATAMORE
Quatre jours.

ISABELLE
Et vécu ?

MATAMORE
De nectar, d'ambroisie[3].

ISABELLE
1245 Je crois que cette viande[4] aisément rassasie.

MATAMORE
Aucunement.

---

1. **Bucéphale :** cheval dompté par Alexandre le Grand.
2. **Vous en exploitez bien :** vous en faites un bel exploit.
3. **Nectar, ambroisie :** respectivement boisson et nourriture des dieux.
4. **Viande :** aliment en général.

ISABELLE

Enfin vous étiez descendu...

MATAMORE

Pour faire qu'un amant en vos bras fût rendu,
Pour rompre sa prison, en fracasser les portes,
Et briser en morceaux ses chaînes les plus fortes. 1250

LISE

Avouez franchement que, pressé de la faim
Vous veniez bien plutôt faire la guerre au pain.

MATAMORE

L'un et l'autre, parbieu ! Cette ambroisie est fade ;
J'en eus au bout d'un jour l'estomac tout malade.
C'est un mets délicat et de peu de soutien : 1255
À moins que d'être un dieu, l'on n'en vivrait pas bien.
Il cause mille maux, et dès l'heure qu'il entre,
Il allonge les dents et rétrécit le ventre.

LISE

Enfin, c'est un ragoût[1] qui ne vous plaisait pas ?

MATAMORE

Quitte pour, chaque nuit, faire deux tours en bas, 1260
Et là, m'accommodant des reliefs de cuisine[2],
Mêler la viande humaine avecque la divine.

ISABELLE

Vous aviez, après tout, dessein de nous voler !

MATAMORE

Vous-mêmes après tout m'osez-vous quereller ?
Si je laisse une fois échapper ma colère... 1265

ISABELLE

Lise, fais-moi sortir les valets de mon père.

MATAMORE

Un sot les attendrait.

---

1. **Ragoût :** mets qui excite l'appétit.
2. **Reliefs de cuisine :** restes d'un repas.

Scène 5 Isabelle, Lise

LISE
Vous ne le tenez pas.

ISABELLE
Il nous avait bien dit que la peur a bon pas.

LISE
1270 Vous n'avez cependant rien fait, ou peu de chose ?

ISABELLE
Rien du tout : que veux-tu, sa rencontre en est cause.

LISE
Mais vous n'aviez alors qu'à le laisser aller.

ISABELLE
Mais il m'a reconnue et m'est venu parler.
Moi qui, seule, et de nuit, craignais son insolence,
1275 Et beaucoup plus encor de troubler le silence,
J'ai cru, pour m'en défaire et m'ôter de souci,
Que le meilleur était de l'amener ici.
Vois, quand j'ai ton secours, que je me tiens vaillante,
Puisque j'ose affronter cette humeur violente !

LISE
1280 J'en ai ri comme vous, mais non sans murmurer :
C'est bien du temps perdu.

ISABELLE
Je le vais réparer.

LISE
Voici le conducteur de notre intelligence[1].
Sachez auparavant toute sa diligence[2].

---

1. **De notre intelligence :** de notre plan.
2. **Diligence :** soin, zèle.

Scène 6 Isabelle, Lise, Le Geôlier

Isabelle

Eh bien, mon grand ami, braverons-nous le sort,   1285
Et viens-tu m'apporter ou la vie ou la mort ?
Ce n'est plus qu'en toi seul, que notre espoir se fonde.

Le Geôlier

Madame, grâce aux dieux, tout va le mieux du monde :
Il ne faut que partir, j'ai des chevaux tout prêts.
Et vous pourrez bientôt vous moquer des arrêts[1].   1290

Isabelle

Ah ! que tu me ravis ! et quel digne salaire
Pourrais-je présenter à mon dieu tutélaire[2] ?

Le Geôlier

Voici la récompense où mon désir prétend.

Isabelle

Lise, il faut se résoudre à le rendre content.

Lise

Oui, mais tout son apprêt nous est fort inutile :   1295
Comment ouvrirons-nous les portes de la ville ?

Le Geôlier

On nous tient des chevaux en main sûre aux faubourgs,
Et je sais un vieux mur qui tombe tous les jours[3] :
Nous pourrons aisément sortir par ces ruines.

Isabelle

Ah ! que je me trouvais sur d'étranges épines !   1300

Le Geôlier

Mais il faut se hâter.

Isabelle

                              Nous partirons soudain.
Viens nous aider là-haut à faire notre main[4].

---

1. **Arrêts :** décisions de justice.
2. **Tutélaire :** protecteur.
3. **Tous les jours :** de jour en jour.
4. **Faire notre main :** commettre notre vol.

Clefs d'analyse

Acte IV, scènes 1 à 6.

Compréhension

Temps et lieux

- Reconstituer la chronologie des événements intervenus entre l'acte III et l'acte IV d'après les indications contenues dans les scènes 2, 4 et 6.
- Préciser où se passent l'action des scènes 1 à 3, puis celle des scènes 4 à 6.

Un épisode romanesque

- Préciser la stratégie de Lise pour faire évader Clindor (IV, 2, 5 et 6).
- Observer l'évolution de Lise entre la scène 6 de l'acte III et la scène 3 de l'acte IV.

Réflexion

Comédie et tragédie

- Analyser ce qui rattache le monologue d'Isabelle (IV, 1) au registre tragique (situation, champs lexicaux...).
- Expliquer l'humour de Matamore (IV, 4).

Une « servante » meneuse de jeu

- Expliquer l'importance que prend Lise dans la conduite de l'action.
- Discuter de ses talents de « comédienne ».

À retenir :

Contrairement à la tragédie, la comédie s'ancre dans la vie quotidienne. De là, l'importance des questions d'argent, les allusions aux repas, à des objets familiers ou leur présence sur scène et, plus généralement, la multiplicité des détails matériels.

Scène 7 Clindor

Clindor, *en prison.*

Aimables souvenirs de mes chères délices
Qu'on va bientôt changer en d'infâmes supplices,   1305
Que, malgré les horreurs de ce mortel effroi,
Vous avez de douceurs et de charmes pour moi !
Ne m'abandonnez point, soyez-moi plus fidèles
Que les rigueurs du sort ne se montrent cruelles ;
Et, lorsque du trépas les plus noires couleurs   1310
Viendront à mon esprit figurer mes malheurs,
Figurez aussitôt à mon âme interdite
Combien je fus heureux par-delà mon mérite ;
Lorsque je me plaindrai de leur sévérité,
Redites-moi l'excès de ma témérité,   1315
Que d'un si haut dessein ma fortune incapable
Rendait ma flamme injuste et mon espoir coupable,
Que je fus criminel quand je devins amant,
Et que ma mort en est le juste châtiment.
Quel bonheur m'accompagne à la fin de ma vie !   1320
Isabelle, je meurs pour vous avoir servie,
Et, de quelque tranchant que je souffre les coups,
Je meurs trop glorieux, puisque je meurs pour vous !
Hélas ! que je me flatte, et que j'ai d'artifice
Pour déguiser la honte et l'horreur d'un supplice !   1325
Il faut mourir enfin, et quitter ces beaux yeux
Dont le fatal amour me rend si glorieux :
L'ombre d'un meurtrier cause encor ma ruine ;
Il succomba vivant[1] et, mort, il m'assassine ;
Son nom fait contre moi ce que n'a pu son bras ;   1330
Mille assassins nouveaux naissent de son trépas,
Et je vois de son sang fécond en perfidies

---

1. **Il succomba vivant :** il fut vaincu (en amour) de son vivant.

S'élever contre moi des âmes plus hardies,
De qui les passions s'armant d'autorité
1335 Font un meurtre public avec impunité !
Demain, de mon courage, ils doivent faire un crime,
Donner au déloyal ma tête pour victime,
Et tous pour le pays prennent tant d'intérêt
Qu'il ne m'est pas permis de douter de l'arrêt.
1340 Ainsi de tous côtés ma perte était certaine :
J'ai repoussé la mort, je la reçois pour peine ;
D'un péril évité je tombe en un nouveau,
Et des mains d'un rival en celles d'un bourreau.
Je frémis au penser de ma triste aventure ;
1345 Dans le sein du repos je suis à la torture ;
Au milieu de la nuit et du temps du sommeil
Je vois de mon trépas le honteux appareil[1],
J'en ai devant les yeux les funestes ministres[2] ;
On me lit du Sénat les mandements[3] sinistres ;
1350 Je sors les fers aux pieds, j'entends déjà le bruit
De l'amas insolent d'un peuple qui me suit ;
Je vois le lieu fatal où ma mort se prépare ;
Là, mon esprit se trouble et ma raison s'égare ;
Je ne découvre rien propre à me secourir,
1355 Et la peur de la mort me fait déjà mourir !
Isabelle, toi seule, en réveillant ma flamme,
Dissipes ces terreurs et rassures mon âme !
Aussitôt que je pense à tes divins attraits,
Je vois évanouir[4] ces infâmes portraits[5].
1360 Quelques rudes assauts que le malheur me livre,
Garde mon souvenir, et je croirai revivre.
Mais d'où vient que de nuit on ouvre ma prison ?
Ami, que viens-tu faire ici hors de saison ?

---

1. **Appareil :** préparatifs.
2. **Ministres :** exécutants (sens général) ; ici, les bourreaux.
3. **Mandements du Sénat :** le jugement du tribunal.
4. **Évanouir :** s'évanouir.
5. **Portraits :** visions.

Scène 8 CLINDOR, LE GEÔLIER

LE GEÔLIER
Les juges assemblés pour punir votre audace,
Mus de compassion, enfin vous ont fait grâce.   1365

CLINDOR
M'ont fait grâce, bons dieux !

LE GEÔLIER
                    Oui, vous mourrez de nuit.

CLINDOR
De leur compassion est-ce là tout le fruit !

LE GEÔLIER
Que de cette faveur vous tenez peu de compte !
D'un supplice public c'est vous sauver la honte.   1370

CLINDOR
Quels encens puis-je offrir aux maîtres de mon sort,
Dont l'arrêt me fait grâce et m'envoie à la mort ?

LE GEÔLIER
Il la faut recevoir avec meilleur visage.

CLINDOR
Fais ton office, ami, sans causer davantage.

LE GEÔLIER
Une troupe d'archers là-dehors vous attend ;   1375
Peut-être en les voyant serez-vous plus content.

Scène 9 CLINDOR, ISABELLE, LISE, LE GEÔLIER

ISABELLE
Lise, nous l'allons voir !

LISE
                    Que vous êtes ravie !

ISABELLE

Ne le serais-je point de recevoir la vie ?
1380 Son destin et le mien prennent un même cours,
Et je mourrais du coup qui trancherait ses jours.

LE GEÔLIER

Monsieur, connaissez-vous beaucoup d'archers semblables ?

CLINDOR

Ma chère âme, est-ce vous ? Surprises adorables !
Trompeur trop obligeant, tu disais bien vraiment
1385 Que je mourrais de nuit, mais de contentement !

ISABELLE

Mon heur !

LE GEÔLIER

Ne perdons point le temps à ces caresses ;
Nous aurons tout loisir de baiser nos maîtresses.

CLINDOR

Quoi ! Lise est donc la sienne !

ISABELLE

Écoutez le discours[1]
1390 De votre liberté qu'ont produit leurs amours.

LE GEÔLIER

En lieu de sûreté, le babil est de mise,
Mais ici, ne songeons qu'à nous ôter de prise[2].

ISABELLE

Sauvons-nous. Mais avant, promettez-nous tous deux
1395 Jusqu'au jour d'un hymen de modérer vos feux.
Autrement, nous rentrons.

CLINDOR

Que cela ne vous tienne :
Je vous donne ma foi.

LE GEÔLIER

Lise, reçois la mienne.

---

1. **Discours :** récit.
2. **Qu'à nous ôter de prise :** qu'à éviter d'être pris.

ISABELLE

Sur un gage si bon, j'ose tout hasarder.   1400

LE GEÔLIER

Nous nous amusons trop ; hâtons-nous d'évader[1].

Scène 10 ALCANDRE, PRIDAMANT

ALCANDRE

Ne craignez plus pour eux ni péril, ni disgrâces.
Beaucoup les poursuivront, mais sans trouver leurs traces.

PRIDAMANT

À la fin, je respire.

ALCANDRE

Après un tel bonheur,   1405
Deux ans les ont montés en haut degré d'honneur.
Je ne vous dirai point le cours de leurs voyages,
S'ils ont trouvé le calme ou vaincu les orages,
Ni par quel art non plus ils se sont élevés ;
Il suffit d'avoir vu comme ils se sont sauvés,   1410
Et que, sans vous en faire une histoire importune,
Je vous les vais montrer en leur haute fortune.
Mais, puisqu'il faut passer à des effets plus beaux,
Rentrons pour évoquer des fantômes nouveaux :
Ceux que vous avez vus représenter de suite   1415
À vos yeux étonnés leurs amours et leur fuite,
N'étant pas destinés aux hautes fonctions,
N'ont point assez d'éclat pour leurs conditions.

---

1. **Hâtons-nous d'évader :** dépêchons-nous de fuir.

Clefs d'analyse

Acte IV, scènes 7 à 10.

Compréhension

L'heure de vérité

- Préciser la situation de Clindor (IV, 7).
- Préciser la découverte décisive que fait Clindor dans cette même scène.

Des retrouvailles romanesques

- Observer le contraste que produit la scène 8 avec les deux précédentes.
- Chercher les traces d'humour et de comique (IV, 8 et 9).

Réflexion

La variété de registres

- Analyser les marques du registre tragique dans la scène 7.
- Analyser les marques du registre pathétique dans la scène 7.

La relance de l'action

- Expliquer l'intérêt de la scène 10.
- Expliquer pourquoi Alcandre se joue du temps et de l'espace.

À retenir :

Les registres, qui traduisent par le langage des émotions fortes, sont souvent associés à des genres littéraires : la tragédie et le tragique ; la comédie et le comique. Genres et registres ne se confondent pourtant pas. Comme le montre le monologue de Clindor, un même genre figurant dans une comédie peut jouer sur plusieurs registres.

Synthèse Acte IV

L'heure de vérité

Personnages

Des personnages de tragi-comédie

La situation est désespérée : pour avoir tué Adraste, Clindor a été condamné à mort. Isabelle se jure de ne pas lui survivre. À son long et pathétique monologue (IV, 1) fait écho celui, non moins pathétique, de Clindor (IV, 7). L'attente de son exécution est pour lui l'heure de vérité : plus rien ne compte que le souvenir d'Isabelle et la profondeur des sentiments qu'il lui porte.

Entre ces deux scènes, dignes de la tragédie, l'action court du romanesque au comique. Lise, qui a séduit le geôlier, organise l'évasion de Clindor. Si spectaculaire soit-il, son revirement n'est pas une vraie surprise : il découle de ses hésitations antérieures (III, 6). Âme généreuse, Lise rachète sa faute en se sacrifiant.

Matamore fait dans cet acte sa dernière apparition. Isabelle le surprend chez elle, où, le ventre creux, il s'est caché quatre jours durant pour, dit-il, la protéger ! Sous les moqueries d'Isabelle et de Lise, Matamore admet à demi-mot qu'il n'est qu'un poltron. Baudruche désormais dégonflée, il ne peut que définitivement disparaître.

Commencé sous le signe de la tragédie, l'acte s'achève dans la plus pure tradition des tragi-comédies ou des romans d'aventures : sur une évasion rocambolesque, avec Lise et Isabelle déguisées en « archers ». En route vers le bonheur...

Langage

Paroles d'un condamné à mort

Clindor touche le fond du désespoir. Si la situation est l'une des plus tragiques qui soient, son monologue est d'un pathétique absolu. Le champ lexical de la peur domine. Par le biais d'une anticipation qui prend la forme d'un cauchemar, Clindor vit et voit par avance son exécution. Le procédé de l'hypotypose l'actualise. C'est à la mise à mort rhétorique de Clindor que le spectateur assiste.

Société

La peine de mort au XVIIe siècle

Les exécutions capitales sont fréquentes au XVIIe siècle. On pend les roturiers et, par privilège, on décapite les nobles. Les auteurs des nombreux complots contre Richelieu furent ainsi décapités. Le chevalier de Cinq-Mars, exécuté en 1642, est le plus célèbre d'entre eux. Quand, par exception, on pendait un noble, c'est qu'on voulait ajouter l'infamie au châtiment. Remarquons que Corneille n'est pas très clair sur ce point. Fils d'un bourgeois, Clindor devrait être pendu, mais le vers 1321 laisse penser à une décapitation.

ACTE V
Scène 1 Alcandre, Pridamant

PRIDAMANT
Qu'Isabelle est changée, et qu'elle est éclatante !

ALCANDRE
Lise marche après elle et lui sert de suivante.   1420
Mais, derechef, surtout n'ayez aucun effroi,
Et de ce lieu fatal ne sortez qu'après moi :
Je vous le dis encore, il y va de la vie.

PRIDAMANT
Cette condition m'en ôtera l'envie.

Scène 2 Isabelle, Lise

LISE
Ce divertissement n'aura-t-il point de fin,   1425
Et voulez-vous passer la nuit dans ce jardin ?

ISABELLE
Je ne puis cacher le sujet qui m'amène ;
C'est grossir mes douleurs que de taire ma peine :
Le prince Florilame...

LISE
        Eh bien, il est absent !   1430

ISABELLE
C'est la source des maux que mon âme ressent.
Nous sommes ses voisins, et l'amour qu'il nous porte
Dedans son grand jardin nous permet cette porte :
La princesse Rosine et mon perfide époux,
Durant qu'il est absent, en font leur rendez-vous.   1435
Je l'attends au passage, et lui ferai connaître
Que je ne suis pas femme à rien souffrir d'un traître.

LISE

Madame, croyez-moi, loin de le quereller,
Vous feriez beaucoup mieux de tout dissimuler.
1440 Ce n'est pas bien à nous d'avoir des jalousies :
Un homme en court plutôt après ses fantaisies ;
Il est toujours le maître, et tout votre discours,
Par un contraire effet, l'obstine en ses amours.

ISABELLE

Je dissimulerai son adultère flamme !
1445 Une autre aura son cœur, et moi le nom de femme !
Sans crime d'un hymen peut-il rompre la loi ?
Et ne rougit-il point d'avoir si peu de foi ?

LISE

Cela fut bon jadis, mais au temps où nous sommes,
Ni l'hymen ni la foi n'obligent plus les hommes.
1450 Madame, leur honneur a des règles à part :
Où le vôtre se perd, le leur est sans hasard[1],
Et la même action, entre eux et nous commune,
Est pour nous déshonneur, pour eux bonne fortune.
La chasteté n'est plus la vertu d'un mari ;
1455 La princesse du vôtre a fait son favori ;
Sa réputation croîtra par ses caresses ;
L'honneur d'un galant homme est d'avoir des maîtresses.

ISABELLE

Ôte-moi cet honneur et cette vanité
De se mettre en crédit[2] par l'infidélité.
1460 Si, pour haïr le change[3] et vivre sans amie,
Un homme comme lui tombe dans l'infamie,
Je le tiens glorieux d'être infâme à ce prix ;
S'il en est méprisé, j'estime ce mépris :
Le blâme que l'on reçoit d'aimer trop une femme
1465 Aux maris vertueux est un illustre blâme.

---

1. **Sans hasard :** sans risque.
2. **Se mettre en crédit :** se faire bien voir.
3. **Le change :** changement (amoureux).

LISE

Madame, il vient d'entrer : la porte a fait du bruit.

ISABELLE

Retirons-nous, qu'il passe.

LISE

Il vous voit, et vous suit.

Scène 3 CLINDOR, ISABELLE, LISE

CLINDOR

Vous fuyez, ma princesse, et cherchez des remises[1] !
Sont-ce là les faveurs que vous m'aviez promises ?   1470
Où sont tant de baisers dont votre affection
Devait être prodigue à ma réception[2] ?
Voici l'heure et le lieu, l'occasion est belle :
Je suis seul, vous n'avez que cette damoiselle
Dont la dextérité ménagea nos amours ;   1475
Le temps est précieux, et vous fuyez toujours !
Vous voulez, je m'assure, avec ces artifices,
Que les difficultés augmentent nos délices
À la fin, je vous tiens ! Quoi ! vous me repoussez !
Que craignez-vous encor mauvaise, c'est assez :   1480
Florilame est absent, ma jalouse endormie.

ISABELLE

En êtes-vous bien sûr ?

CLINDOR

Ah ! fortune ennemie !

ISABELLE

Je veille, déloyal, ne crois plus m'aveugler ;

---

1. **Remises :** délais.
2. **À ma réception :** pour me recevoir.

1485 Au milieu de la nuit, je ne vois que trop clair :
Je vois tous mes soupçons passer en certitudes,
Et ne puis plus douter de tes ingratitudes.
Toi-même par ta bouche as trahi ton secret.
Ô l'esprit avisé pour un amant discret !
1490 Et que c'est en amour une haute prudence,
D'en faire avec sa femme entière confidence !
Où sont tant de serments de n'aimer rien que moi ?
Qu'as-tu fait de ton cœur ? Qu'as-tu fait de ta foi ?
Lorsque je la reçus, ingrat, qu'il te souvienne
1495 De combien différaient ta fortune et la mienne,
De combien de rivaux je dédaignai les vœux,
Ce qu'un simple soldat pouvait être auprès d'eux,
Quelle tendre amitié je recevais d'un père :
Je l'ai quitté, pourtant, pour suivre ta misère,
1500 Et je tendis les bras à mon enlèvement,
Ne pouvant être à toi de son consentement[1].
En quelle extrémité depuis ne m'ont réduite
Les hasards dont le sort a traversé ta fuite
Et que n'ai-je souffert avant que le bonheur
1505 Élevât ta bassesse à ce haut rang d'honneur !
Si pour te voir heureux, ta foi s'est relâchée,
Rends-moi dedans le sein dont tu m'as arrachée :
Je t'aime, et mon amour m'a fait tout hasarder,
Non pas pour tes grandeurs, mais pour te posséder.

CLINDOR

1510 Ne me reproche plus ta fuite, ni ta flamme :
Que ne fait point l'amour quand il possède une âme ?
Son pouvoir à ma vue attachait tes plaisirs,
Et tu me suivais moins que tes propres désirs.
J'étais lors peu de chose, oui, mais qu'il te souvienne
1515 Que ta fuite égala ta fortune à la mienne,
Et, que, pour t'enlever, c'était un faible appas
Que l'éclat de tes biens qui ne te suivaient pas !
Je n'eus, de mon côté, que l'épée en partage,

---

1. **De son consentement :** avec le consentement de Géronte.

Et ta flamme, du tien, fut mon seul avantage :
Celle-là m'a fait grand en ces bords étrangers ;   1520
L'autre exposa ma tête en cent et cent dangers !
Regrette maintenant ton père et tes richesses !
Fâche-toi de marcher à côté des princesses !
Retourne en ton pays, avecque tous tes biens,
Chercher un rang pareil à celui que tu tiens !   1525
Qui te manque, après tout ? De quoi peux-tu te plaindre ?
En quelle occasion m'as-tu vu te contraindre ?
As-tu reçu de moi ni froideurs, ni mépris ?
Les femmes, à vrai dire, ont d'étranges esprits :
Qu'un mari les adore, et qu'une amour extrême   1530
À leur bizarre humeur le soumette lui-même,
Qu'il les comble d'honneurs et de bons traitements,
Qu'il ne refuse rien à leurs contentements,
Fait-il la moindre brèche à la foi conjugale,
Il n'est point, à leur gré, de crime qui l'égale :   1535
C'est vol, c'est perfidie, assassinat, poison,
C'est massacrer son père et brûler sa maison,
Et jadis des Titans[1] l'effroyable supplice
Tomba sur Encelade[2] avec moins de justice.

ISABELLE

Je te l'ai déjà dit, que toute ta grandeur   1540
Ne fut jamais l'objet de ma sincère ardeur :
Je ne suivais que toi quand je quittai mon père.
Mais puisque ces grandeurs t'ont fait l'âme légère,
Laisse mon intérêt, songe à qui tu les dois.
Florilame lui seul t'a mis où tu te vois :   1545
À peine il te connut qu'il te tira de peine ;
De soldat vagabond, il te fit capitaine,
Et le rare bonheur qui suivit cet emploi
Joignit à ses faveurs les faveurs de son roi ;
Quelle forte amitié n'a-t-il point fait paraître   1550

---

1. **Titans :** Dieux géants qui se révoltèrent contre Jupiter.
2. **Encelade :** fils du Ciel et de la Terre, que Jupiter écrasa sous la Sicile. D'après la mythologie, il ne comptait pas au nombre des Titans.

À cultiver depuis ce qu'il avait fait naître !
Par ses soins redoublés n'es-tu pas aujourd'hui
Un peu moindre de rang, mais plus puissant que lui ?
Il eût gagné par là l'esprit le plus farouche,
1555 Et pour remerciement tu vas souiller sa couche ?
Dans ta brutalité trouve quelque raison,
Et contre ses faveurs défends ta trahison.
Il t'a comblé de biens, tu lui voles son âme ;
Il t'a fait grand seigneur, et tu le rends infâme.
1560 Ingrat, c'est donc ainsi que tu rends les bienfaits,
Et ta reconnaissance a produit ces effets !

CLINDOR

Mon âme (car encor ce beau nom te demeure,
Et te demeurera jusqu'à tant que je meure),
Crois-tu qu'aucun respect ou crainte du trépas
1565 Puisse obtenir sur moi ce que tu n'obtiens pas ?
Dis que je suis ingrat, appelle-moi parjure,
Mais à nos feux sacrés ne fais plus tant d'injure :
Ils conservent encor leur première vigueur.
Je t'aime, et si l'amour qui m'a surpris le cœur
1570 Avait pu s'étouffer au point de sa naissance,
Celui que je te porte eût eu cette puissance.
Mais en vain contre lui l'on tâche à résister :
Toi-même as éprouvé qu'on ne le peut dompter.
Ce dieu qui te força d'abandonner ton père,
1575 Ton pays et tes biens pour suivre ma misère,
Ce dieu même à présent malgré moi m'a réduit
À te faire un larcin des plaisirs d'une nuit.
À mes sens déréglés souffre cette licence.
Une pareille amour meurt dans la jouissance ;
1580 Celle dont la vertu n'est point le fondement
Se détruit de soi-même et passe en un moment ;
Mais celle qui nous joint est une amour solide,
Où l'honneur a son lustre, où la vertu préside,
Dont les fermes liens durent jusqu'au trépas,
1585 Et dont la jouissance a de nouveaux appas.
Mon âme, derechef, pardonne à la surprise
Que ce tyran des cœurs a faite à ma franchise ;

Souffre une folle ardeur qui ne vivra qu'un jour
Et n'affaiblit en rien un conjugal amour.

ISABELLE

Hélas ! que j'aide bien à m'abuser moi-même !   1590
Je vois qu'on me trahit, et je crois que l'on m'aime ;
Je me laisse charmer à ce discours flatteur,
Et j'excuse un forfait dont j'adore l'auteur !
Pardonne, cher époux, au peu de retenue
Où d'un premier transport la chaleur est venue :   1595
C'est en ces accidents[1] manquer d'affection
Que de les voir sans trouble et sans émotion.
Puisque mon teint se fane et ma beauté se passe,
Il est bien juste aussi que ton amour se lasse ;
Et même, je croirai que ce feu passager   1600
En l'amour conjugal ne pourra rien changer.
Songe un peu toutefois à qui ce feu s'adresse,
En quel péril te jette une telle maîtresse ;
Dissimule, déguise et sois amant discret.
Les grands en leur amour n'ont jamais de secret :   1605
Ce grand train[2] qu'à leurs pas leur grandeur propre attache
N'est qu'un grand corps tout d'yeux à qui rien ne se cache,
Et dont il n'est pas un qui ne fît son effort
À se mettre en faveur par un mauvais rapport.
Tôt ou tard Florilame apprendra tes pratiques   1610
Ou de sa défiance ou de ses domestiques,
Et lors (à ce penser je frissonne d'horreur)
À quelle extrémité n'ira point sa fureur !
Puisque à ces passe-temps ton humeur te convie,
Cours après tes plaisirs, mais assure ta vie ;   1615
Sans aucun sentiment je te verrai changer,
Pourvu qu'à tout le moins tu changes sans danger.

CLINDOR

Encor une fois donc tu veux que je te die[3]

---

1. **Accidents :** circonstances.
2. **Ce grand train :** la foule des courtisans.
3. **Die :** dise.

Qu'auprès de mon amour je méprise ma vie ?
1620 Mon âme est trop atteinte, et mon cœur trop blessé,
Pour craindre les périls dont je suis menacé.
Ma passion m'aveugle, et pour cette conquête
Croit hasarder trop peu de hasarder ma tête ;
C'est un feu que le temps pourra seul modérer ;
1625 C'est un torrent qui passe, et ne saurait durer.

ISABELLE

Eh bien, cours au trépas, puisqu'il a tant de charmes
Et néglige ta vie aussi bien que mes larmes.
Penses-tu que ce prince, après un tel forfait,
Par ta punition se tienne satisfait ?
1630 Qui sera mon appui lorsque ta mort infâme
À sa juste vengeance exposera ta femme,
Et que sur la moitié[1] d'un perfide étranger,
Une seconde fois il croira se venger ?
Non, je n'attendrai pas que ta perte certaine
1635 Attire encore sur moi les restes de ta peine,
Et que de mon honneur gardé si chèrement
Il fasse un sacrifice à son ressentiment.
Je préviendrai la honte[2] où ton malheur me livre,
Et saurai bien mourir, si tu ne veux pas vivre.
1640 Ce corps, dont mon amour t'a fait le possesseur,
Ne craindra plus bientôt l'effort[3] d'un ravisseur ;
J'ai vécu pour t'aimer, mais non pour l'infamie
De servir[4] au mari de ton illustre amie.
Adieu, je vais du moins, en mourant devant toi,
1645 Diminuer ton crime et dégager ta foi.

CLINDOR

Ne meurs pas, chère épouse, et dans un second change
Vois l'effet merveilleux où ta vertu me range.
M'aimer malgré mon crime, et vouloir par ta mort

---

1. **La moitié :** l'épouse.
2. **Je préviendrai la honte :** j'éviterai la honte (en me suicidant).
3. **L'effort :** la violence.
4. **De servir :** d'être l'esclave.

Éviter le hasard de quelque indigne effort !
Je ne sais qui je dois admirer davantage   1650
Ou de ce grand amour, ou de ce grand courage :
Tous les deux m'ont vaincu, je reviens sous tes lois,
Et la brutale ardeur va rendre les abois[1].
C'en est fait, elle expire, et mon âme plus saine
Vient de rompre les nœuds de sa honteuse chaîne.   1655
Mon cœur, quand il fut pris, s'était mal défendu.
Perds-en le souvenir.

ISABELLE

Je l'ai déjà perdu.

CLINDOR

Que les plus beaux objets[2] qui soient dessus la terre
Conspirent désormais à lui faire la guerre,   1660
Ce cœur, inexpugnable aux assauts de leurs yeux,
N'aura plus que les tiens pour maîtres et pour dieux !
Que leurs attraits unis...

LISE

La princesse s'avance,
Madame.   1665

CLINDOR

Cachez-vous, et nous faites silence.
Écoute-nous, mon âme, et par notre entretien
Juge si son objet m'est plus cher que le tien.

---

1. **Rendre les abois :** s'éteindre, mourir.
2. **Objets :** les femmes (sans aucune nuance péjorative ; métaphore précieuse).

Scène 4 Clindor, Rosine

Rosine

Débarrassée enfin d'une importune suite[1],
1670 Je remets à l'amour le soin de ma conduite,
Et, pour trouver l'auteur de ma félicité,
Je prends un guide aveugle en cette obscurité.
Mais que son épaisseur me dérobe la vue !
Le moyen de le voir, ou d'en être aperçue !
1675 Voici la grande allée, il devrait être ici,
Et j'entrevois quelqu'un. Est-ce toi, mon souci ?

Clindor

Madame, ôtez ce mot dont la feinte se joue,
Et que votre vertu dans l'âme désavoue.
C'est assez déguisé, ne dissimulez plus
1680 L'horreur que vous avez de mes feux dissolus.
Vous avez voulu voir jusqu'à quelle insolence
D'une amour déréglée irait la violence ;
Vous l'avez vu, Madame, et c'est pour la punir
Que vos ressentiments vous font ici venir ;
1685 Faites sortir vos gens destinés à ma perte,
N'épargnez point ma tête, elle vous est offerte ;
Je veux bien par ma mort apaiser vos beaux yeux,
Et ce n'est pas l'espoir qui m'amène en ces lieux.

Rosine

Donc, au lieu d'un amour rempli d'impatience,
1690 Je ne rencontre en toi que de la défiance ?
As-tu l'esprit troublé de quelque illusion ?
Est-ce ainsi qu'un guerrier tremble à l'occasion[2] ?
Je suis seule, et toi seul : d'où te vient cet ombrage ?
Te faut-il de ma flamme un plus grand témoignage ?

---

1. **Suite :** suite de courtisans et de femmes d'honneur.
2. **Occasion :** quand survient le combat.

Crois que je suis sans feinte à toi jusqu'à la mort. 1695

CLINDOR

Je me garderai bien de vous faire ce tort ;
Une grande princesse a la vertu plus chère.

ROSINE

Si tu m'aimes, mon cœur, quitte cette chimère.

CLINDOR

Ce n'en est point, Madame, et je crois voir en vous
Plus de fidélité pour un si digne époux. 1700

ROSINE

Je la quitte pour toi. Mais, dieux ! que je m'abuse
De ne pas voir encor qu'un ingrat me refuse !
Son cœur n'est plus que glace, et mon aveugle ardeur
Impute à défiance un excès de froideur.
Va, traître, va, parjure, après m'avoir séduite, 1705
Ce sont là des discours d'une mauvaise suite !
Alors que je me rends, de quoi me parles-tu,
Et qui t'amène ici me prêcher la vertu ?

CLINDOR

Mon respect, mon devoir et ma reconnaissance
Dessus mes passions ont eu cette puissance ; 1710
Je vous aime, Madame, et mon fidèle amour
Depuis qu'on l'a vu naître, a crû de jour en jour ;
Mais que ne dois-je point au prince Florilame !
C'est lui dont le respect triomphe de ma flamme,
Après que sa faveur m'a fait ce que je suis... 1715

ROSINE

Tu t'en veux souvenir pour me combler d'ennuis.
Quoi ! son respect peut plus que l'ardeur qui te brûle ?
L'incomparable ami, mais l'amant ridicule,
D'adorer une femme, et s'en voir si chéri,
Et craindre au rendez-vous d'offenser un mari ! 1720
Traître, il n'en est plus temps ! Quand tu me fis paraître
Cette excessive amour qui commençait à naître,
Et que le doux appas d'un discours suborneur,
Avec un faux mérite attaqua mon honneur,

1725 C'est lors qu'il te fallait à ta flamme infidèle
Opposer le respect d'une amitié si belle,
Et tu ne devais pas attendre à l'écouter [1]
Quand mon esprit charmé ne le pourrait goûter !
Tes raisons vers tous deux sont de faibles défenses :
1730 Tu l'offensas alors, aujourd'hui tu m'offenses ;
Tu m'aimais plus que lui, tu l'aimes plus que moi.
Crois-tu donc à mon cœur donner ainsi la loi,
Que ma flamme à ton gré s'éteigne ou s'entretienne,
Et que ma passion suive toujours la tienne ?
1735 Non, non, usant si mal de ce qui t'est permis,
Loin d'en éviter un, tu fais deux ennemis.
Je sais trop les moyens d'une vengeance aisée :
Phèdre contre Hippolyte aveugla bien Thésée [2],
Et ma plainte armera plus de sévérité
1740 Avec moins d'injustice et plus de vérité.

CLINDOR

Je sais bien que j'ai tort, et qu'après mon audace,
Je vous fais un discours de fort mauvaise grâce,
Qu'il sied mal à ma bouche et que ce grand respect
Agit un peu bien tard pour n'être point suspect.
1745 Mais pour souffrir plutôt la raison dans mon âme,
Vous aviez trop d'appas, et mon cœur trop de flamme :
Elle n'a triomphé qu'après un long combat.

ROSINE

Tu crois donc triompher lorsque ton cœur s'abat [3] ?
Si tu nommes victoire un manque de courage,
1750 Appelle encor service un si cruel outrage,
Et puisque me trahir c'est suivre la raison,
Dis-moi que tu me sers par cette trahison !

: pour l'écouter.

ppolyte, **Thésée** : seconde épouse de Thésée, Phèdre
tombe amoureuse de son beau-fils Hippolyte. Devant sa froideur, elle
le calomnie auprès de Thésée, son père, et provoque sa mort.

3. **Ton cœur s'abat** : le courage te manque.

CLINDOR

Madame, est-ce vous rendre un si mauvais service
De sauver votre honneur d'un mortel précipice ?
Cet honneur qu'une dame a plus cher que les yeux !   1755

ROSINE

Cesse de m'étourdir de ces noms odieux !
N'as-tu jamais appris que ces vaines chimères
Qui naissent aux cerveaux des maris et des mères,
Ces vieux contes d'honneur, n'ont point d'impression[1]
Qui puissent arrêter les fortes passions ?   1760
Perfide, est-ce de moi que tu le dois apprendre ?
Dieux ! jusques où l'amour ne me fait point descendre !
Je lui tiens des discours qu'il me devrait tenir,
Et toute mon ardeur ne peut rien obtenir !

CLINDOR

Par l'effort que je fais à mon amour extrême,   1765
Madame, il faut apprendre à vous vaincre vous-même,
À faire violence à vos plus chers désirs,
Et préférer l'honneur à d'injustes plaisirs,
Dont au moindre soupçon, au moindre vent contraire,
La honte et les malheurs sont la suite ordinaire.   1770

ROSINE

De tous ces accidents rien ne peut m'alarmer,
Je consens de périr à force de t'aimer.
Bien que notre commerce[2] aux yeux de tous se cache,
Qu'il vienne en évidence et qu'un mari le sache,
Que je demeure en butte à ses ressentiments,   1775
Que sa fureur me livre à de nouveaux tourments,
J'en souffrirai plutôt l'infamie éternelle
Que de me repentir d'une flamme si belle.

---

1. **N'ont point d'impression** : n'ont point assez de force.
2. **Commerce** : liaison.

Scène 5 CLINDOR, ROSINE, ISABELLE, LISE, PRIDAMANT, ÉRASTE, TROUPE DE DOMESTIQUES

ÉRASTE

Donnons[1], ils sont ensemble.

ISABELLE

1780   Ô dieux, qu'ai-je entendu ?

LISE

Madame, sauvons-nous !

PRIDAMANT

Hélas ! il est perdu !

CLINDOR

Madame, je suis mort, et votre amour fatale
Par un indigne coup aux enfers me dévale[2].

ROSINE

1785 Je meurs, mais je me trouve heureuse en mon trépas
Que du moins en mourant je vais suivre tes pas.

ÉRASTE

Florilame est absent, mais durant son absence,
C'est là comme les siens punissent qui l'offense ;
C'est lui qui par nos mains vous envoie à tous deux
1790 Le juste châtiment de vos lubriques feux.

ISABELLE

Réponds-moi, cher époux, au moins une parole !
C'en est fait, il expire, et son âme s'envole !
Bourreaux, vous ne l'avez massacré qu'à demi !
Il vit encor en moi, soûlez son ennemi[3] !

---

1. **Donnons :** attaquons.
2. **Me dévale :** me précipite.
3. **Soûlez son ennemi :** satisfaites pleinement son ennemi (le prince Florilame).

Achevez, assassins, de m'arracher la vie : 1795
Sa haine, sans ma mort, n'est pas bien assouvie.

ÉRASTE

Madame, c'est donc vous !

ISABELLE

    Oui, qui cours au trépas.

ÉRASTE

Votre heureuse rencontre épargne bien nos pas.
Après avoir défait le prince Florilame 1800
D'un ami déloyal et d'une ingrate femme,
Nous avions ordre exprès de vous aller chercher.

ISABELLE

Que voulez-vous de moi, traîtres ?

ÉRASTE

    Il faut marcher ;
Le prince dès longtemps amoureux de vos charmes, 1805
Dans un de ses châteaux veut essuyer vos larmes.

ISABELLE

Sacrifiez plutôt ma vie à son courroux.

ÉRASTE

C'est perdre temps, Madame, il veut parler à vous.

Clefs d'analyse

Acte V, scènes 1 à 5.

Compréhension

Temps et lieux

- Définir les cadres géographique et temporel.
- Chercher les indices d'un changement de condition sociale des personnages.

Intrigue et quiproquo galants

- Préciser la situation sentimentale et conjugale des personnages.
- Préciser la méprise que commet Clindor à la scène 3.

Réflexion

La fidélité en question

- Analyser la justification de l'adultère chez Lise (V, 2), chez Clindor (V, 3) et chez Rosine (V, 4).
- Analyser la défense de la fidélité conjugale chez Isabelle (V, 3) et chez Clindor (V, 4).

Amour, vengeance et traquenard

- Comparer la scène 5 avec la scène 11 de l'acte III.
- Discuter du « dénouement » de la scène 5.

À retenir :

En théorie, le dénouement est « un événement qui tranche le fil de l'action par la cessation des périls et des obstacles, ou par la consommation du malheur » (Marmontel). L'assassinat de Clindor pourrait constituer le dénouement. Mais, comme tout est « illusion », il s'agit d'un vrai faux dénouement tragique.

Scène 6 ALCANDRE, PRIDAMANT

ALCANDRE

Ainsi de notre espoir la fortune se joue ;
Tout s'élève ou s'abaisse au branle[1] de sa roue,   1810
Et son ordre inégal qui régit l'univers
Au milieu du bonheur a ses plus grands revers.

PRIDAMANT

Cette réflexion malpropre[2] pour un père
Consolerait peut-être une douleur légère,
Mais, après avoir vu mon fils assassiné,   1815
Mes plaisirs foudroyés, mon espoir ruiné,
J'aurais d'un si grand coup l'âme bien peu blessée,
Si de pareils discours m'entraient dans la pensée.
Hélas ! dans sa misère il ne pouvait périr,
Et son bonheur fatal lui seul l'a fait mourir !   1820
N'attendez pas de moi des plaintes davantage :
La douleur qui se plaint cherche qu'on la soulage ;
La mienne court après son déplorable sort.
Adieu, je vais mourir, puisque mon fils est mort.

ALCANDRE

D'un juste désespoir l'effort[3] est légitime,   1825
Et de le détourner je croirais faire un crime.
Oui, suivez ce cher fils sans attendre à demain,
Mais épargnez du moins ce coup à votre main :
Laissez faire aux douleurs qui rongent vos entrailles,
Et, pour les redoubler, voyez ses funérailles.   1830
*(On tire un rideau et on voit tous les comédiens qui parta-
gent leur argent.)*

---

1. **Branle :** mouvement.
2. **Malpropre :** inappropriée.
3. **L'effort :** le suicide.

PRIDAMANT

Que vois-je ! Chez les morts compte-t-on de l'argent ?

ALCANDRE

Voyez si pas un d'eux s'y montre négligent !

PRIDAMANT

Je vois Clindor, Rosine, ah ! Dieu ! quelle surprise !
Je vois leur assassin, je vois sa femme et Lise !
1835 Quel charme en un moment étouffe leurs discords[1]
Pour assembler ainsi les vivants et les morts ?

ALCANDRE

Ainsi, tous les acteurs d'une troupe comique[2],
Leur poème récité, partagent leur pratique[3].
L'un tue et l'autre meurt, l'autre vous fait pitié,
1840 Mais la scène préside à leur inimitié ;
Leurs vers font leur combat, leur mort suit leurs paroles,
Et sans prendre intérêt en pas un de leurs rôles,
Le traître et le trahi, le mort et le vivant
Se trouvent à la fin amis comme devant.
1845 Votre fils et son train[4] ont bien su par leur fuite
D'un père et d'un prévôt[5] éviter la poursuite ;
Mais tombant dans les mains de la nécessité,
Ils ont pris le théâtre en cette extrémité.

PRIDAMANT

Mon fils comédien !

ALCANDRE

1850   D'un art si difficile
Tous les quatre au besoin en ont fait leur asile,
Et depuis sa prison ce que vous avez vu,
Son adultère amour, son trépas imprévu,
N'est que la triste fin d'une pièce tragique

---

1. **Discords :** désaccords.
2. **Troupe comique :** troupe de comédiens.
3. **Pratique :** recette.
4. **Son train :** l'ensemble de ses compagnons comédiens.
5. **Prévôt :** juge.

Qu'il expose aujourd'hui sur la scène publique,   1855
Par où ses compagnons et lui, dans leur métier,
Ravissent dans Paris un peuple tout entier.
Le gain leur en demeure, et ce grand équipage
Dont je vous ai fait voir le superbe étalage,
Est bien à votre fils, mais non pour s'en parer   1860
Qu'alors que[1] sur la scène il se fait admirer.

PRIDAMANT

J'ai pris sa mort pour vraie, et ce n'était que feinte,
Mais je trouve partout mêmes sujets de plainte :
Est-ce là cette gloire et ce haut rang d'honneur
Où le devait monter l'excès de son bonheur ?   1865

ALCANDRE

Cessez de vous en plaindre : à présent le théâtre
Est en un point si haut qu'un chacun l'idolâtre,
Et ce que votre temps voyait avec mépris
Est aujourd'hui l'amour de tous les bons esprits,
L'entretien[2] de Paris, le souhait des provinces,   1870
Le divertissement le plus doux de nos princes,
Les délices du peuple, et le plaisir des grands ;
Parmi leurs passe-temps il tient les premiers rangs,
Et ceux dont nous voyons la sagesse profonde
Par ses illustres soins conserver tout le monde,   1875
Trouvent dans les douceurs d'un spectacle si beau
De quoi se délasser d'un si pesant fardeau.
Même notre grand roi[3], ce foudre de la guerre
Dont le nom se fait craindre aux deux bouts de la Terre,
Le front ceint de lauriers daigne bien quelquefois   1880
Prêter l'œil et l'oreille au théâtre françois.
C'est là que le Parnasse[4] étale ses merveilles ;
Les plus rares esprits lui consacrent leurs veilles,

---

1. **Qu'alors que :** si ce n'est.
2. **L'entretien :** le sujet de conversation.
3. **Grand roi :** Louis XIII.
4. **Parnasse :** montagne grecque, résidence des Muses, protectrices des arts.

Et tous ceux qu'Apollon[1] voit d'un meilleur regard
1885 De leurs doctes travaux lui donnent quelque part.
S'il faut par la richesse estimer les personnes,
Le théâtre est un fief dont les rentes sont bonnes,
Et votre fils rencontre en un métier si doux
Plus de biens et d'honneur qu'il n'eût trouvé chez vous.
1890 Défaites-vous enfin de cette erreur commune,
Et ne vous plaignez plus de sa bonne fortune.

PRIDAMANT

Je n'ose plus m'en plaindre : on voit trop de combien
Le métier qu'il a pris est meilleur que le mien.
Il est vrai que d'abord mon âme s'est émue :
1895 J'ai cru la comédie au point où je l'ai vue ;
J'en ignorais l'éclat, l'utilité, l'appas,
Et la blâmais ainsi, ne la connaissant pas.
Mais depuis vos discours, mon cœur plein d'allégresse
A banni cette erreur avecque sa tristesse.
1900 Clindor a trop bien fait.

ALCANDRE

                    N'en croyez que vos yeux.

PRIDAMANT

Demain, pour ce sujet, j'abandonne ces lieux,
Je vole vers Paris. Cependant, grand Alcandre,
Quelles grâces ici ne vous dois-je point rendre !

ALCANDRE

1905 Servir les gens d'honneur est mon plus grand désir ;
J'ai pris ma récompense en vous faisant plaisir.
Adieu, je suis content, puisque je vous vois l'être.

PRIDAMANT

Un si rare bienfait ne se peut reconnaître ;
Mais, grand Mage, du moins croyez qu'à l'avenir
1910 Mon âme en gardera l'éternel souvenir.

---

1. **Apollon :** dieu de la Musique, de la Poésie, et lui-même protecteur des Muses.

Clefs d'analyse

Acte V, scène 6.

Compréhension

Un dénouement heureux

- Observer la didascalie insérée entre les vers 1830 et 1831.
- Observer l'évolution de Pridamant : du désespoir à la stupéfaction, de l'aveu de ses erreurs à l'approbation du choix de son fils.

Un magicien psychologue

- Observer la nouvelle attitude d'Alcandre au début de la scène.
- Observer comment Alcandre révèle progressivement à Pridamant que son fils est comédien.

Réflexion

Les bienfaits du théâtre

- Analyser et discuter la défense passionnée du théâtre par Alcandre.
- Analyser et discuter le rôle de l'« illusion ».

À retenir :

Un dénouement doit être nécessaire, rapide et complet. Nécessaire, parce qu'il doit découler logiquement de l'action et ne pas procéder du hasard. Rapide, afin de ne pas faire languir le spectateur. Complet, parce qu'il doit informer sur le sort définitif des personnages.

Synthèse Acte V

Résurrection théâtrale

Personnages

Tragédiens et tragédiennes

Deux ans après son évasion réussie, Clindor, marié à Isabelle, est devenu le favori du prince anglais Florilame. Sa « haute fortune » est éclatante : elle précipite son malheur. Clindor a noué une liaison coupable avec la princesse Rosine. À l'éloge de la fidélité conjugale par Isabelle (V, 3) fait écho l'éloge paradoxal du libertinage par Clindor (V, 3) puis par Rosine (V, 4). Les reproches d'Isabelle finissent par convaincre Clindor de sa faute : il rompt avec Rosine. Trop tard. Les « domestiques » de Florilame assassinent les amants.

Pridamant touche au fond du désespoir. Coup de théâtre. Un rideau relevé montre Clindor bien vivant, comptant l'argent de la recette avec ses assassins. Tous interprétaient le dernier acte d'une tragédie.

Reste que Pridamant (et le spectateur avec lui) ne s'en est pas aperçu. C'est que Clindor-favori ressemble étrangement au Clindor-valet de Matamore. Il se révèle également inconstant. La peur de perdre Isabelle, décidée à ne pas survivre au déshonneur d'être bafouée, l'éclaire sur ses sentiments, comme, à la scène 7 de l'acte IV, l'attente de son exécution lui avait fait voir clair en lui. Isabelle-la favorite rappelle la jeune fille aimante et déterminée. Lise reste la suivante intelligente et compréhensive. Les caractères et les situations dépeints dans l'acte V reproduisent ainsi ceux des actes précédents. À l'exception toutefois du personnage de Rosine, dominée et égarée par sa passion. Elle est l'épouse adultère que, pour des raisons de bienséances, Corneille supprimera dans la version de 1660.

Pridamant ne peut que reconnaître qu'il a été heureusement manipulé par Alcandre. Méfiant envers le métier de comédien qu'il jugeait déshonorant, il constate avec soulagement que le théâtre procure honneur, fortune et gloire. L'«illusion théâtrale» a fonctionné comme une merveilleuse thérapie.

Langage

Le genre de l'éloge et du blâme

L'acte V présente ces deux aspects. Les scènes 3 et 4 sont un double réquisitoire : d'Isabelle contre Clindor et de Clindor contre Isabelle (V, 3) ; de Rosine contre Clindor (V, 4). L'argumentation y cède la place à la tentative, réussie (V, 3) ou vaine (V, 4), de persuasion. La dernière scène est, quant à elle, tout à la gloire du théâtre, célébré comme le divertissement par excellence du roi et des « honnêtes gens ».

Société

L'adultère au XVIIᵉ siècle

Le mariage est alors un sacrement, et l'adultère, tout à la fois un péché et un délit passible des tribunaux. En principe et en droit, la femme convaincue d'adultère risquait d'être enfermée dans un couvent pour au moins deux ans ; l'homme risquait une amende et, dans des cas très exceptionnels, le bannissement ou les galères. Mais les progrès du libertinage et une société prompte à rire des infortunes conjugales d'autrui faisaient que ces peines étaient rarement appliquées.

Pridamant : « Que vois-je ! Chez les morts compte-t-on
de l'argent ? » (acte V, scène 6, vers 1831). Gravure.

POUR
APPROFONDIR

Genre, action, personnages

Genres et registres

Une revue de genres

« Voici un étrange monstre », écrit Corneille dans sa *Dédicace*. Étymologiquement, un « monstre » est un animal fabuleux, formé d'éléments que normalement la Nature ne réunit pas ensemble. Le centaure était ainsi mi-homme pour le buste et mi-cheval pour son corps de quadrupède. Sur le plan dramaturgique, *L'Illusion comique* est « un monstre », en ce sens qu'elle mêle et entremêle divers genres dont elle constitue une revue, une sorte de parade. Comme Corneille l'écrira plus tard, en 1660, dans l'*Examen* de sa pièce : « Le premier acte ne semble qu'un prologue, les trois suivants [...] sont entièrement de la comédie [...]. Le cinquième est une tragédie [...]. Tout cela cousu ensemble fait une comédie. »

Le premier acte emprunte plusieurs de ses caractéristiques au genre de la pastorale, fort en vogue dans la première moitié du XVIIe siècle. Qu'elle soit romanesque (comme l'*Astrée* d'Honoré d'Urfé) ou dramatique, la pastorale retraçait dans un décor champêtre les aventures sentimentales de « bergers » et de « bergères » qui, délivrés de tout souci par la grâce d'une nature bienveillante, ne se préoccupaient que d'être heureux. Pour voir clair dans leur cœur, ils consultaient souvent un devin (ou un druide), tout à la fois magicien et psychologue. Ce personnage récurrent était devenu au fil du temps la figure emblématique du genre. Avec son cadre campagnard, situé en Touraine, sa « grotte » et son mage, *L'Illusion comique* s'y rattache ouvertement.

Les actes II, III et IV rebondissent de péripétie en coup de théâtre : complot de rivaux déçus (II), traquenard, duel, assassinat (III), emprisonnement, condamnation à mort et évasion rocambolesque (IV). Ils renvoient à un autre genre, celui de la tragi-comédie, également à la mode dans les années 1630. Ignorant les « règles » (de lieu, de temps, d'action...), celle-ci mélangeait volontiers les registres, privilégiait l'intérêt dramatique, multipliait les rebondissements spectaculaires pour s'achever heureusement.

L'essentiel du cinquième acte est une tragédie. Celle-ci se définit d'abord par le statut social de ses personnages, tous de haut rang – comme le sont le prince Florilame et son favori Clindor. L'action en est grave ; le langage relevé ; le dénouement funeste. Traître à son maître, Clindor paie de sa vie sa déloyauté.

Tous ces genres n'en sont pas moins imbriqués et intégrés dans une comédie. La tragédie est en effet une représentation théâtrale à laquelle, sans le savoir, Pridamant assiste en direct. La tragi-comédie est une évocation de la vie passée de Clindor et d'Isabelle. Dans son cadre pastoral, la comédie les enserre. Un père, bourgeois de son état, recherche son fils que sa sévérité a fait s'enfuir ; ce fils s'éprend d'une jeune fille de bonne famille, l'emporte sur ses rivaux et l'épouse. Le dénouement voit la réconciliation de chacun avec soi-même et avec tous : voilà qui appartient traditionnellement à l'univers de la comédie.

Une gamme de registres : du comique au tragique en passant par le lyrisme élégiaque

Aussi la pièce joue-t-elle sur tous les registres inhérents à ces genres. Le registre comique est le plus large. Comique de gestes avec les fuites répétées de Matamore (III, 4, 7, 11). Comique de mots avec ses jongleries verbales (II, 1 ; III, 4). Ironie mordante de Lise (III, 6). Comique de situation avec de nouveau Matamore, qui joue au héros et au don Juan sans être ni l'un ni l'autre. Comique enfin de caractère : comme Harpagon est chez Molière le type même de l'avare, Matamore est le type même du fanfaron. À chaque fois, le comique naît d'un écart :

Genre, action, personnages

entre les paroles et les actes ; entre les comportements et les situations ; entre les niveaux de langue (recherché, familier, vulgaire) et les sujets ou les thèmes évoqués.

Expression et mise en scène de la souffrance, le registre pathétique s'épanouit naturellement dans les monologues dont la fonction est d'extérioriser les sensibilités à vif. Chacun des principaux protagonistes clame ainsi sa souffrance et son désespoir : Lise après avoir été humiliée par Clindor (III, 6) ; Isabelle après la condamnation à mort de Clindor (IV, 1) ; et Clindor attendant dans sa prison l'heure de son exécution (IV, 7). Le pathétique ne colore pas toutefois les seuls monologues. S'il fut un père autoritaire, Pridamant est surtout un père douloureux, dont les souffrances affleurent dans ses répliques à Dorante (I, 1) et à Alcandre (V, 6).

Du registre pathétique naît parfois un lyrisme élégiaque. Se plaignant du sort qui s'acharne sur son amant, Isabelle repense à son bonheur perdu (IV, 1). Clindor trouve un réconfort dans les « aimables souvenirs » d'Isabelle (IV, 7).

Le registre tragique apparaît à partir de l'acte IV quand Isabelle souligne l'injuste procès qui condamne à mort Clindor, comme si cette injustice contre laquelle elle ne peut rien devenait la forme moderne de la fatalité. Elle se décide alors à ne pas lui survivre et elle lance contre son père de terribles imprécations (IV, 1). La situation de Clindor, voué à être exécuté, est elle-même tragique, comme son (faux) assassinat à l'acte V.

Bien qu'ils soient moins présents, deux autres registres méritent d'être mentionnés. Tout fanfaron et pleutre qu'il est, Matamore se laisse emporter par un souffle épique (aux vers 234 à 255, par exemple). Quant à l'éloge qu'Alcandre entreprend du théâtre et du métier de comédien, il appartient au genre de l'éloge et du blâme (V, 6).

Genre, action, personnages

Action

▌ Une construction à trois niveaux

L'action dépend étroitement de la structure de la pièce. Celle-ci est une construction à trois niveaux, entre lesquels s'établit un jeu de miroirs.

Le premier niveau (action A) concerne la quête de Pridamant et sa consultation d'Alcandre. Il correspond aux actes et scènes suivants : acte I en entier ; acte II, 1 et 9 ; acte III, 12 ; acte IV, 10 ; acte V, 1 et 6. Cette action A est simple. Alcandre en est le sujet principal. Son but est de retrouver Clindor (l'objet) pour le compte de Pridamant, qui est à la fois le destinateur et le destinataire. L'adjuvant réside dans les pouvoirs magiques d'Alcandre ; l'opposant, dans les préjugés bourgeois de Pridamant.

Le deuxième niveau (action B), de loin le plus important de la pièce, ressuscite la vie réelle, mais passée, de Clindor au service de Matamore et de ses amours. Il correspond aux actes II, III et IV (à l'exception des courtes scènes relevant du premier niveau). L'acte II constitue l'exposition de l'action B. Clindor (le sujet) aime Isabelle (l'objet), qui l'aime en retour. Leurs amours se heurtent à des obstacles d'inégale valeur : Matamore et Adraste courtisent Isabelle, tandis que Géronte s'oppose à Clindor. L'acte III forme le nœud de cette intrigue. Si l'obstacle qu'est Matamore est rapidement levé – d'opposant, il devient un adjuvant en « cédant » Isabelle à Clindor –, les opposants se renforcent : Géronte penche pour Adraste, qui menace ouvertement Clindor. L'acte IV voit le dénouement. Adraste meurt. Lise sauve Clindor. La fuite du trio rend caduque l'opposition de Géronte. Tous les obstacles sont dès lors levés.

Le troisième niveau (action C) se confond avec le fragment de la tragédie inséré dans l'acte V (2 à 4). Cette action C reproduit sur le mode tragique une rivalité amoureuse.

Genre, action, personnages

▌ Un jeu de miroirs

Des analogies se constatent entre ces actions A, B et C.

Les préjugés de Pridamant et de Géronte sont identiques, même s'ils ne revêtent pas la même forme : tous deux pères, ils veulent pour leurs enfants des positions sociales stables et aisées, et prétendent faire leur bonheur malgré eux.

Le passé aventureux du favori Clindor (action C) rappelle les années de Clindor au service de Matamore (action B).

L'Isabelle de l'action C ressemble à l'Isabelle de l'action B : (similitude de sens par exemple entre les vers 524-526 (II, 5) et 1506-1507 (V, 3).

À la condamnation à mort de Clindor (action B) répond son assassinat (action C).

Les hésitations sentimentales de Clindor, délaissant Isabelle pour Rosine puis renonçant à Rosine pour revenir vers Isabelle (action C), reproduisent ses légèretés envers Lise (action B).

▌ Un enchâssement pédagogique

L'action A encadre les actions B et C qui, chacune à leur manière, finissent par retentir sur l'action A. Le but d'Alcandre est en effet double : informer Pridamant de ce qu'est devenu son fils et, surtout, le réconcilier avec celui-ci, lui faire admettre que le métier de comédien est socialement enviable et moralement estimable. Pour atteindre ce but, Alcandre recourt aux images des actions B et C. Ces deux actions possèdent une valeur opératoire. Elles sont l'équivalent visuel des arguments et des preuves dans un discours, ou d'une thérapie en médecine. La méthode réussit d'ailleurs à merveille. Pridamant éprouve et expérimente sur lui-même les pouvoirs de l'« illusion » : après avoir tant redouté pour la vie de son fils, il ne peut que se réjouir de le voir heureux, célèbre et riche – et admirer « cette douce illusion qui est tout le plaisir du théâtre » (La Bruyère, *Les Caractères*, « Des ouvrages de l'esprit », 47).

Genre, action, personnages

L'universalité de l'illusion

L'illusion est d'abord théâtrale – presque cinématographique, dirait-on de nos jours. Elle naît de ces « spectres parlants » qu'anime Alcandre : ce sont des « images » de Clindor, de Matamore, d'Isabelle... que Pridamant voit, et non les personnages en chair et en os. Elle culmine dans le fragment de tragédie inséré à l'acte V que, de son propre aveu, Pridamant prend pour la réalité (v. 1895). Mais l'illusion se manifeste sous bien d'autres formes encore. Le mensonge – c'est-à-dire le masque, l'apparence – est omniprésent. Sous le pseudonyme de « sieur de la Montagne » (v. 209), Clindor cache sa véritable identité à Matamore. Lise feint d'aimer le geôlier ; et Isabelle, Matamore, au moins dans un premier temps. Quant à Matamore, est-il besoin de rappeler qu'il ne s'épanouit que dans ses fantasmes héroïques ? Chacun est ainsi autre et donne de lui une image différente de ce qu'il est vraiment.

Mais chacun se trompe aussi sur lui-même. Lise se trompe sur sa haine envers Clindor ; Adraste, sur le pouvoir de Géronte ; Géronte, sur ses droits paternels ; Clindor, sur son cynisme envers Lise. L'illusion les aveugle tous. Seule Isabelle sait qui elle est et ce qu'elle veut. Il s'ensuit une crise du réel. Qui est vraiment Clindor, par exemple ? Il est tout à la fois un « spectre », un serviteur de Matamore, un personnage qui devient comédien, lequel interprète le rôle d'un favori d'un prince anglais. Ou bien qui est spectateur ? Clindor l'est de Matamore ; Pridamant de son fils ; Alcandre de Pridamant ; et nous le sommes d'eux tous. Qui est qui en définitive ? Et où est qui ? L'illusion détruit jusqu'aux certitudes apparemment les plus solides.

Dramaturgie baroque ou classique ?

Si étrange soit-elle, la question se pose pourtant. Le renouveau du théâtre qui se manifeste aux alentours de 1630 s'accompagne d'un renouveau de la réflexion critique. Un des débats porte sur la meilleure façon de construire une pièce :

Genre, action, personnages

doit-elle ou non obéir à des règles ? Deux conceptions s'opposent alors. Au nom de la liberté du créateur et de la conception du monde qui la sous-tend (voir l'introduction, p. 13), l'esthétique baroque refuse toute idée de règle. La toute naissante esthétique classique considère au contraire indispensable d'avoir des règles. Dès 1633, Rotrou écrit avec son *Hercule mourant* une tragi-comédie respectueuse des « unités » de temps, de lieu et d'action. Corneille n'ignorait pas leur existence, puisque, dans sa comédie *La Suivante* (1632-1633), il les observait déjà et qu'il déclarait même dans l'*Épître* de cette même pièce : « J'aime suivre les règles » – même si c'était pour aussitôt ajouter qu'il ne s'en faisait pas un dogme absolu.

De prime abord, *L'Illusion comique* semble marquer leur abandon. Les lieux sont divers : la Touraine (I), Bordeaux (II, III, IV) et l'Angleterre (V). Le temps qui s'étire : « deux ans » (v. 1406) séparent l'acte V de l'acte IV. L'action réside-t-elle dans les mésaventures de Matamore, dans le « roman d'apprentissage » de Clindor ou dans la quête de Pridamant ? Voilà qui ne plaide guère en faveur d'un respect de la jeune esthétique classique.

Mais n'est-ce pas là une ultime « illusion » ? Les lieux évoqués ou reconstitués sont en effet des images projetées dans le lieu « unique » qu'est le fond de la grotte. Entre l'arrivée de Pridamant en Touraine et la fin de la pièce, il ne se déroule que quelques heures, puisque celui-ci reverra « ce soir » (v. 164) Dorante. Quant à l'action, la vie de Clindor en assure l'unité – à moins que ce ne soit le projet d'Alcandre de guérir Pridamant de ses préjugés. C'est en définitive une esthétique baroque, en trompe-l'œil, que Corneille élabore avec virtuosité.

Genre, action, personnages

Personnages

Alcandre

Comme ses confrères, mages, devins ou druides, de la littérature pastorale, Alcandre a percé les secrets de la nature : il sait tout et peut tout. Son savoir l'érige en utile conseiller. Déjà, dans l'*Astrée* d'Honoré d'Urfé (le plus grand roman pastoral du siècle, publié à partir de 1607), le druide Adamas aidait et éclairait Céladon, désespéré d'avoir perdu sa belle Astrée. Et, dans ses *Bergeries* (1625), Racan faisait consulter le magicien Polistène par Lucidas, qui s'adressait à lui en des termes voisins de ceux de Dorante à Alcandre :

> « Père dont la science, en prodiges féconde
> D'horreur et de merveille, étonne le monde »
>
> (I, 2, v. 169-170).

Le talent particulier d'Alcandre est de recourir à des « spectres parlants ». Par là, il est la métaphore du dramaturge, et sa magie est celle de l'art dramatique. Comme un dramaturge, Alcandre, en ressuscitant le passé, est maître du temps. Il l'est aussi de l'espace : sur le fond de la grotte – lieu unique –, il projette une multiplicité de lieux, fort éloignés entre eux. Ses « spectres » sont comme ses acteurs dont il organise les rôles à sa guise. Tel un dramaturge encore, Alcandre manipule les émotions de Pridamant qui constitue son public. Il les provoque, les laisse s'épanouir pour mieux les canaliser et les apaiser. Comme un dramaturge enfin, Alcandre est un créateur d'« illusion ». Il soumet Pridamant, dont il a deviné les préjugés à l'égard du théâtre et du métier de comédien, à une expérience précisément « théâtrale » pour lui faire ressentir et reconnaître les bienfaits du théâtre. Sous le masque d'Alcandre, Corneille se livre à une défense et une illustration de son propre métier.

Genre, action, personnages

Clindor

Fils de bonne famille, Clindor est d'un naturel trop indépendant pour supporter les contraintes et la monotonie d'une vie rangée. Aussi s'enfuit-il du logis pour mener une vie aventureuse. Vagabond, il exerce divers métiers, aux frontières de la marginalité et de l'escroquerie. C'est le type même du héros picaresque, instable, versatile, amoral. Ce passé douteux, sur lequel Alcandre ne s'attarde pas pour ménager Pridamant, le prépare pourtant, sans qu'il en ait conscience, à son futur métier de comédien. Longtemps, Clindor n'a fait que jouer. Il a joué au pharmacien, à l'astrologue, au clerc de notaire, comme il joue auprès de Matamore au domestique serviable, et comme il joue encore auprès de Lise au soupirant cynique. Ce sont autant de rôles qu'il endosse et qui lui apprennent l'art de feindre et de se métamorphoser. Il se forme non dans un conservatoire mais à l'école de la vie. À force de passer sa vie à jouer, Clindor finit toutefois par confondre la vie et le jeu. Cette confusion n'est pas sans risque. Le voici en prison, à la veille d'être exécuté. Le sérieux et même le tragique de l'existence le rattrapent. Clindor connaît alors son heure de vérité qui lui fait découvrir que la vie n'est pas le jeu qu'il imaginait, ni l'amour un plaisant divertissement. La profession de comédien lui permet de concilier ses contradictions. Comment continuer à jouer sans que la vie soit un jeu ? Si ce n'est précisément en devenant acteur. Sur une scène de théâtre, l'art de feindre se transforme en talent. Clindor peut désormais multiplier les rôles et les masques sans tricher avec la morale ni duper les autres. Le théâtre sauve Clindor de lui-même en lui permettant de concilier son goût du changement et les nécessités de la vie sociale, de se réconcilier avec les autres, pour son plus grand bonheur et celui de la société tout entière, qui l'applaudit.

Genre, action, personnages

Matamore

À l'origine, son nom renvoie à l'une des pages les plus célèbres de l'histoire espagnole dans sa lutte contre l'occupant arabe. Le « matamoros » était le tueur des « mores » (ou maures). Ce surnom fut donné à saint Jacques de Compostelle, patron de l'Espagne, en raison de son héroïsme. Mais, en France, il avait très vite quitté le registre épique pour celui du comique. Pour le camper, Corneille reprend les caractéristiques fondamentales du fanfaron fixées par la tradition. Son Matamore, qui se veut le dieu de la Guerre, est le plus lâche des hommes. Se prétend-il la réincarnation de l'Amour ? Il est le plus ridicule des amants. Tout le comique du personnage tient dans ce contraste : la réalité dément toujours ses propos. C'est tout entier un être de paroles, qui ne vit que dans et par les mots. De là viennent ses étourdissantes jongleries verbales. Mais s'il n'est pas ce qu'il dit, Matamore croit à ce qu'il dit. Sa vie est une scène où il se donne en spectacle. Des autres, il attend qu'ils lui donnent la réplique, qu'ils le confortent dans ses rêves ou ses délires. Et quand, par malheur pour lui, Géronte puis tour à tour Clindor, Lise et Isabelle cessent de se prêter au jeu, il se réduit à un pantin qui n'a plus qu'à fuir. Si Clindor incarne le comédien épanoui, Matamore incarne, lui, le comédien raté : il joue mal et seulement pour lui.

Isabelle

Isabelle occupe une place centrale dans le réseau de relations qui unit les personnages. Tous se définissent par rapport à elle. Trois hommes l'aiment et déterminent leur stratégie amoureuse en fonction de ses réactions. Son opposition à son père la rattache au type, très conventionnel, de la jeune fille amoureuse bien décidée à faire valoir les droits de son cœur. Mais sa sincérité et sa grandeur d'âme la haussent toutefois au-dessus de ce type et l'individualisent. Elle aime absolument, sans autre considération que sa passion. De là, sa détermination face à son père, son ironie face à Adraste, son amusement face à Matamore. De là vient aussi son désespoir, quand elle croit Clindor perdu. Isabelle trouve alors des accents tragiques que ne renieront pas les héroïnes des futures tragédies de Corneille.

Lise

« Servante » d'Isabelle, Lise est un personnage plus complexe que sa maîtresse. Sa condition subalterne ne l'empêche pas d'être l'une des protagonistes de l'action : elle révèle à Adraste l'amour qui unit Clindor et Isabelle ; elle l'informe de l'heure et du lieu de leur rendez-vous ; elle organise enfin l'évasion de Clindor. Active, imaginative, Lise est aussi un personnage tout en évolution. Reprenant le thème de la rivalité amoureuse entre la suivante et sa maîtresse qu'il avait déjà orchestré dans *La Place royale* et dans *La Suivante*, Corneille la fait passer de l'amour à la vengeance, du remords au sacrifice, en renonçant à Clindor pour épouser le geôlier. Lise en tire la satisfaction secrète d'être la maîtresse du destin de Clindor, qui lui devra la vie et son bonheur. C'est peut-être donner une grande importance à une figure dont la fonction est en principe secondaire. Comme Corneille le reconnaîtra dans l'*Examen* de sa pièce, elle « semble s'élever un peu trop au-dessus du caractère de servante ». Mais c'est ce qui précisément la rend attachante.

Pridamant

Pridamant incarne un type de personnage également traditionnel dans la comédie : celui du père autoritaire et du bourgeois méfiant à l'égard de la vie d'artiste, qu'il juge précaire et presque infamante. Alcandre l'installe donc, sur scène, dans la position du spectateur. Au fil de ses émotions – crainte, désespoir et étonnement –, Pridamant évolue jusqu'à se défaire de ses préjugés et approuver la vocation de son fils.

Genre, action, personnages

Géronte

Son nom le définit : « géronte » désigne en grec le « vieillard » ; et son statut de père abusif le range parmi les personnages les plus stéréotypés de la comédie. Il en assume d'ailleurs la fonction, archétypale elle aussi, d'opposant intraitable. C'est le représentant de l'autorité, le partisan du mariage de raison, riche et convenable, contre le mariage d'amour. À ce titre, Géronte est un opposant actif : il organise le guet-apens qui doit écarter Clindor et permettre à Adraste d'épouser Isabelle. Ce faisant, il montre le même aveuglement et la même sévérité que naguère Pridamant, dont il est le peu sympathique miroir.

Les autres personnages

Dorante disparaît dès la fin de la scène 2 de l'acte I pour ne plus reparaître. C'est qu'il est moins un personnage qu'une utilité : il ne sert qu'à présenter Pridamant à Alcandre. Sa mission accomplie, il n'a plus de raison d'être.

Le rôle d'Adraste est un peu plus étoffé. Mais il reste dans le registre de l'utilité. Soupirant, antipathique à souhait, d'Isabelle, il occupe la place de l'opposant dans le schéma actantiel. Son seul intérêt est de... mourir et de provoquer ainsi l'emprisonnement salvateur de Clindor.

Quant à Rosine, qui n'apparaît que dans les scènes 4 et 5 de l'acte V, elle est l'héroïne tragique par excellence, emportée par sa passion adultère pour Clindor, comme Phèdre, à laquelle elle fait allusion (v. 1738), est emportée par son amour pour Hippolyte.

L'œuvre : origines et prolongements

Naissance et vie de Matamore

Soldat fanfaron, Matamore incarne l'une des plus vieilles figures de la comédie non seulement française mais européenne. Sa naissance remonte à la comédie des *Acharniens* du Grec Aristophane (vers 445-vers 385 av. J.-C.). Toujours prêt à en découdre avec l'ennemi, Lamachos se blesse accidentellement en sautant par-dessus un fossé et revient chez lui, tout gémissant, sous la risée générale. Le Latin Plaute étoffe le type dans son *Miles gloriosus* en ajoutant les vantardises amoureuses aux fanfaronnades guerrières (voir plus loin l'extrait, p. 164). Ce personnage-type s'est ensuite enraciné dans la tradition italienne. Le *Roland furieux* (publié à partir de 1516), long poème héroï-comique de l'Arioste connu dans toute l'Europe, campe un bravache sous les traits de Rodomonte (d'où, par antonomase, le nom commun de « rodomontades »). De son côté, la *commedia dell'arte*, très prisée de Louis XIII et de sa Cour, comptait parmi ses « emplois » obligés un « Capitan Fanfaron ». Dès le XVIᵉ siècle, le type avait été naturalisé français. En 1567, Jean Antoine de Baïf, l'un des poètes de la Pléiade, imaginait le personnage de Taille-bras. Plus près de *L'Illusion comique,* plusieurs dramaturges avaient à leur tour mis en scène un fanfaron : Mareschal dans *Les Railleurs* ; Rotrou dans *Amélie* ; Pichou dans *Les Folies de Cardenio*... Enfin, les tensions politiques avec l'Espagne suscitaient depuis le début du siècle des satires, des chansons et des farces qui ridiculisaient l'orgueil militaire espagnol. Un recueil anonyme de *Rodomontades espagnoles* connaissait par exemple un certain succès. L'entrée en guerre de la France contre l'Espagne, en 1630, attisait naturellement les railleries. En appelant Matamore son soldat fanfaron, Corneille flattait le patriotisme français et était certain de s'attirer la sympathie du public. Si

L'œuvre : origines et prolongements

loin que remontent ses ascendants littéraires, Matamore se retrouvait au croisement de la tradition et de l'actualité.

Le théâtre dans le théâtre : tradition et originalité

LE PROCÉDÉ DU THÉÂTRE dans le théâtre n'est pas nouveau lorsque Corneille y recourt. Déjà connu des Italiens et des Anglais au XVIe siècle, il l'était aussi des Français au début du siècle suivant. Le dramaturge Baro avait, en 1628, glissé dans sa comédie de *Célinde* une courte pièce secondaire dans la pièce principale. Peu d'années avant *L'Illusion comique*, Gougenot, en 1631-1632, puis Georges de Scudéry, en 1633, avaient chacun donné une pièce sur le même sujet et portant le même titre : *La Comédie des comédiens*. Dans la comédie de Scudéry, M. de Blandimare recherche son neveu disparu. S'étant rendu un jour dans un théâtre pour se distraire, il l'y rencontre parmi les acteurs. Il invite aussitôt la troupe à dîner. Emporté par l'enthousiasme des comédiens, il désire à son tour devenir acteur, et joue, dès le lendemain, une pastorale qui vient s'insérer dans la pièce principale. Corneille s'est sans doute souvenu de l'œuvre de Scudéry pour imaginer *L'Illusion comique*. Mais là où Scudéry (comme d'ailleurs Baro) se contentait d'une structure à deux niveaux – une pièce enchâssée dans une autre –, Corneille conçoit une structure à trois niveaux, si parfaitement imbriqués que le spectateur passe de l'un à l'autre sans s'en apercevoir. Nul avant lui n'était allé si loin dans l'utilisation du procédé.

LE TEXTE ICI REPRODUIT et présenté est celui de l'édition originale, seulement publié en 1639. Il était alors de tradition qu'un auteur continuât de revoir son texte au fil de ses rééditions successives. Entre 1639 et 1682, date de la dernière édition de son *Théâtre* complet, Corneille a ainsi procédé à douze rééditions de sa pièce, apportant à chaque fois retouches et corrections. Toutes n'offrent pas le même intérêt ni la même importance. La réédition de 1644 n'est qu'un modeste toilettage portant sur trente-cinq vers. La grande édition de 1660 modifie en revanche considérablement l'état du texte. Les corrections sont si vastes qu'il n'est pas illégitime de parler, comme pour *Le Cid*, d'une nouvelle version de *L'Illusion comique*.

La version de 1660

Le titre s'abrège : *L'Illusion comique* devient *L'Illusion* tout court. La structure de l'acte II est modifiée. La fin de la scène 4 se dédouble : l'intervention du page annonçant à Matamore l'arrivée d'un messager de la reine d'Islande (à partir du vers 466 de la présente édition) forme une scène autonome, de sorte que l'acte II qui compte neuf scènes dans l'édition originale en comprend désormais dix. Ce redécoupage est une concession de Corneille aux exigences de la dramaturgie classique, alors triomphante, qui exigeait que l'arrivée ou la sortie d'un personnage coïncidât avec une nouvelle scène. Pour des raisons similaires, Corneille retouche deux monologues. Il abrège celui de Lise (III, 6) en supprimant les vers 861 à 866, ainsi que celui d'Isabelle (IV, 1) en supprimant les vers 1059 à 1064. C'est qu'en 1660 le monologue passe pour un procédé dramaturgique facile, dont il convient d'user à bon escient et avec parcimonie. Or *L'Illusion comique* n'en renferme pas moins de sept. Corneille les allège et en efface au passage tout ce qui pouvait apparaître comme une violence trop baroque. Isabelle, parlant de Clindor promis à une exécution honteuse, ne regrette plus ainsi

« Qu'il eût valu bien à ta valeur trompée

Offrir ton estomac ouvert à son épée » (v. 1031-1032).

La mention de cet « estomac » devenait trop contraire aux bienséances classiques.

Les modifications les plus profondes concernent toutefois l'acte V. Le personnage de Rosine disparaît et, avec elle, la totalité de la scène 4. Clindor reste amoureux d'elle, mais sans qu'il y ait la présence effective de Rosine sur scène. Le dénouement change également : Isabelle meurt (à la pace de Rosine) au lieu d'être enlevée par les domestiques du prince Florilame. Ces modifications obéissent là encore aux exigences de la dramaturgie classique, qui n'admettait pas qu'un personnage absent dans les actes précédents apparaisse soudainement au dernier acte. Elles se comprennent également par un impératif de bienséance, autre « règle » importante de l'esthétique classique. Épouse adultère, Rosine affichait un comportement trop immoral pour le public de 1660, notamment lorsqu'elle rejetait les lois de l'honneur conjugal :

> « N'as-tu jamais appris que ces vaines chimères
> Qui naissent aux cerveaux des maris et des mères,
> Ces vieux contes d'honneur, n'ont point d'impression
> Qui puissent arrêter les fortes passions ?
> Perfide, est-ce de moi que tu le dois apprendre ? »

(v. 1757-1761).

De la lecture à la représentation

CORNEILLE multiplie par ailleurs les didascalies. Certaines d'entre elles ne possèdent, comme il convient, qu'une valeur technique : elles précisent un jeu de scène. Ainsi, dans l'édition de 1660, à la fin de la scène 4 de l'acte V, Corneille écrit : « *Ici on rabaisse une toile qui couvre le jardin et les corps de Clindor et d'Isabelle, et le magicien et le père sortent de la grotte.* » De même la didascalie de la dernière scène, déjà présente dans l'édition de 1639, s'étoffe : « *Ici on relève la toile, et tous les comédiens paraissent avec leur portier, qui comptent de l'argent sur une table, et en prennent chacun leur part.* » D'autres didascalies offrent en revanche un intérêt qui dépasse la simple précision technique. L'édition de 1660 indique en effet :

V, 2 : Isabelle *représentant* Hippolyte et Lise *représentant Clarine* ;
V, 3 : Clindor *représentant* Théagène ; Isabelle *représentant Hippolyte* ; Lise *représentant* Clarine ;
V, 4 : même mention.

L'œuvre : origines et prolongements

L'INSISTANCE avec laquelle Corneille souligne qu'il s'agit de rôles interprétés détruit pour le lecteur – mais pour le lecteur seul – l'illusion théâtrale. Celui-ci comprend d'emblée que Clindor, Isabelle et Lise sont devenus des comédiens ; que les trois scènes de l'acte V ne s'inscrivent pas dans la continuité des scènes et des actes précédents. La confusion des comédiens avec leurs rôles, source de l'illusion à laquelle succombe Pridamant, n'est plus possible. Preuve, s'il en était besoin, qu'un texte de théâtre est d'abord écrit pour être joué.

Une interprétation philosophique de l'« illusion »

LA SUPPRESSION de l'adjectif « comique » dans le titre donne à l'œuvre une portée beaucoup plus générale, qui était certes déjà présente dans la version originale, mais qui devient plus explicite. Si l'« illusion » reste théâtrale, elle ne l'est plus seulement. La pièce se révèle une métaphore de l'activité humaine : le monde est un théâtre sur la scène duquel l'homme est tour à tour acteur (de sa propre vie) et spectateur (de la vie des autres). Sous le regard omniscient de Dieu (l'Auteur), il est aveugle sur lui-même, parce qu'il est ignorant de son avenir et du sens de sa vie. Ce thème philosophique et religieux du « théâtre du monde », qui remonte à l'Antiquité avant d'être christianisé, a connu un regain d'intérêt pendant la Renaissance et au XVIIe siècle, non seulement en France mais en Europe. Vers 1645, le dramaturge espagnol Calderon l'orchestre sous sa forme religieuse dans sa pièce *El Gran Theatro del mundo*.

CORNEILLE en donne une version profane (encore que les pouvoirs d'Alcandre soient quasi divins). Sous le regard d'Alcandre, qui seul connaît la vérité, Clindor parcourt symboliquement toutes les étapes de l'existence humaine : depuis sa naissance (le jour de sa fuite) jusqu'à l'expérience de la proximité de la mort (en prison) en passant par la découverte de l'amour. Ce n'est seulement qu'à la fin que Clindor parvient à

L'œuvre : origines et prolongements

la connaissance de lui-même. Il est et reste, comme par le passé, un comédien, mais il est devenu conscient de l'être. Quant à Pridamant, il a assisté au spectacle de l'existence à travers celle de son fils, au déroulement du « théâtre du monde ».

Variations sur l'« illusion »

Dans *CLITANDRE* (1630-1631), sa seconde pièce et sa première tragi-comédie, Corneille a déjà abordé le thème de l'illusion. Favori de son prince, au faîte des honneurs, Clitandre se retrouve injustement accusé d'un crime de lèse-majesté. C'est la disgrâce, puis la prison :

> « Je ne sais si je veille ou si ma rêverie
> À mes sens endormis fait quelque tromperie ;
> Peu s'en faut, dans l'excès de ma confusion,
> Que je ne prenne tout pour une illusion.
> Clitandre prisonnier ! Je n'en fais pas croyable
> Ni l'air sale et puant d'un cachot effroyable,
> Ni de ce faible jour l'incertaine clarté,
> Ni le poids de ces fers dont je suis arrêté.
> Je les sens, je les vois, mais mon âme innocente
> Dément tous les objets que mon œil lui présente,
> Et la désavouant, défend à ma raison
> De me persuader que je sois en prison. »
>
> (III, 3, v. 797-808).

Le phénomène est ici symétrique de celui provoqué par Alcandre. Clitandre ne croit pas ce qu'il voit, alors que Pridamant croit ce qu'il voit. C'est poser dans les deux cas la question de la fiabilité des sens et de leurs rapports avec la vérité.

Contemporain de Corneille, Jean Rotrou (1609-1650) aborde le thème de l'illusion d'une manière encore différente. L'action de sa tragédie *Le Véritable saint Genest* (1645) se déroule à Rome, sous l'empereur Dioclétien, à l'époque des persécutions contre les chrétiens. Genest est un personnage dont le métier est d'être acteur. Il joue le rôle du martyr Adrian. Mais voici qu'en l'interprétant il est saisi par la grâce divine et qu'il déclare se convertir au christianisme. Ce qui était fiction devient réalité :

> « Ce monde périssable et sa gloire frivole
> Est une comédie où j'ignorais mon rôle ;
> Le Démon me dictait quand Dieu voulait parler ;
> Mais depuis que le soin d'un esprit angélique
> Me conduit, me redresse et m'apprend ma réplique,
> J'ai corrigé mon rôle, et le Démon confus,
> M'en voyant mieux instruit, ne m'en suggère plus ;
> J'ai pleuré mes péchés, le Ciel a vu mes larmes,
> Dedans cette action, il a trouvé des charmes,
> M'a départi sa grâce, est mon approbateur,
> Me propose des prix, et m'a fait son acteur. »

(IV, 7, v. 1303-1314).

Pour lui, le théâtre n'est plus un jeu. La fiction est devenue vérité.

L'œuvre
et ses représentations

L'Illusion célébrée puis perdue

L'Illusion comique remporta dès sa création un vif succès et, fait exceptionnel, le théâtre du Marais en conserva l'exclusivité pendant près de trois ans. Fait plus exceptionnel encore, alors qu'une grande partie du répertoire antérieure à 1640 était tombée dans l'oubli, Corneille se réjouit en 1660, dans l'édition collective de ses œuvres, que sa pièce ait « surmonté l'injure du temps ». Le xviiie siècle toutefois l'ignora, la jugeant trop peu conforme aux normes classiques encore en vigueur. Ce n'est qu'au siècle suivant que les romantiques la redécouvrirent.

Les adaptations de la Comédie-Française

Le 6 juin 1856, pour célébrer le deux cent cinquantième anniversaire de la naissance de Corneille, la Comédie-Française la reprit. Mais s'agissait-il vraiment de *L'Illusion comique* ? L'acte IV en avait été supprimé et les scènes de tragédie de l'acte V avaient été remplacées par des scènes de *Don Sanche d'Aragon*, une « comédie héroïque » que Corneille avait fait jouer durant la saison théâtrale en 1649-1650. Cette comédie campe une princesse espagnole qui, contre l'avis de son entourage, souhaite épouser don Sanche, guerrier valeureux mais simple fils de pêcheur. Un coup de théâtre le révélera en réalité fils de prince, enlevé peu après sa naissance et confié à un modeste marin. *L'Illusion comique* se réduisait aux mésaventures de Matamore et de Clindor qui, soudainement plus riche qu'il ne l'imaginait, pouvait épouser Isabelle avec la bénédiction de Géronte. Les jeux de la fiction et du réel disparaissaient ; l'apologie du théâtre perdait toute signification. Cette *Illusion* mutilée se rapprochait de la « comédie de cape et d'épée », selon la formule de l'écrivain Théophile Gautier, qui assista en 1861 à l'une des reprises de cette version très particulière de la pièce. C'est encore cette étrange adaptation que la Comédie-Française donna en 1862, en 1869 et en 1906.

L'adaptation d'Antoine au Théâtre de l'Odéon (1895)

L'Illusion comique fut montée sous sa forme originelle en 1895 par Antoine (1858-1943), alors directeur du Théâtre de l'Odéon. Mais cet ami de Zola, adepte de mises en scène réalistes, privilégia les effets spectaculaires au détriment du merveilleux et le réel aux dépens de l'imaginaire. La grotte d'Alcandre était effrayante, meublée d'accessoires ; l'acte V, appartenant trop à l'univers du théâtre, n'apparaissait plus comme le prolongement des actes antérieurs : l'« illusion » était détruite.

Le théâtre contre l'illusion théâtrale

La mise en scène de Louis Jouvet (1937)

En 1937, la Comédie-Française remit la pièce à l'affiche, cette fois dans la version remaniée de 1660. Le talent de l'acteur et metteur en scène Louis Jouvet (1887-1951), la somptuosité et la féerie des décors firent de cette reprise un spectacle de qualité. On voyait toutefois à l'acte V Alcandre et Pridamant installés sur scène dans les loges d'un petit théâtre. C'était détruire tout effet d'« illusion » et rendre invraisemblable la méprise de Pridamant prenant pour vrai l'assassinat de son fils. Paradoxalement, la référence visible au théâtre tuait le théâtre dans le théâtre.

L'Illusion ressuscitée

La mise en scène de Georges Wilson (1965) : Alcandre, démiurge bienveillant

Depuis les années 1960, *L'Illusion comique* ne cesse d'être redécouverte. Montée au Festival d'Avignon, en 1965, par Georges Wilson puis au Théâtre de Chaillot en 1970, elle a fait l'objet

L'œuvre et ses représentations

d'une adaptation pour la télévision (réalisation de Robert Maurice). Théâtres parisiens et centres dramatiques régionaux ne cessent depuis de la mettre à l'affiche.

La mise en scène de Giorgio Strehler (1984)

En 1984, Giorgio Strehler en donnait, pour le Théâtre national de l'Odéon, une mise en scène qui fit date. Il revenait au texte original, soulignait le rôle d'Alcandre moins dans ses fonctions de magicien traditionnel que dans celles d'un démiurge bienveillant. C'était s'interroger sur les rapports de l'imaginaire et du pouvoir, voire de la manipulation. *L'Illusion* était recréée. Il ne se passe désormais guère d'années sans que l'« étrange monstre » soit repris, tant à l'époque du triomphe de l'image les « spectres parlants » ne cessent de fasciner.

Dorival dans *L'Illusion comique*. Mise en scène de Louis Jouvet,
Comédie-Française, février 1937.

Georges Wilson et Loleh Bellon dans *L'Illusion comique*.
Mise en scène de Georges Wilson, T.N.P., février 1966.

Costume de Lise par Jacques Le Marquet
dans la mise de scène de Georges Wilson, T.N.P., février 1966.

François Nadin (Matamore) et Bertrand Suarez-Pazos (Clindor)
dans *L'Illusion comique*. Mise en scène de Brigitte Jaques-Wajeman,
Gennevilliers, 2005.

L'œuvre à l'examen

À l' **écrit** **Objet d'étude :** le théâtre, texte et repésentation (toutes sections).

Corpus bac : écriture et réécriture d'un type littéraire

TEXTE 1

Miles gloriosus (Le Soldat fanfaron), vers 254-184 av. J.-C., Plaute (auteur comique latin).

Traduit du latin par Alfred Ernout, *Plaute*, Paris, Les Belles Lettres, coll. « G. Budé », 1952.

Acte I, scène 1.

Le soldat Pyrgopolinice est l'ancêtre littéraire de Matamore, dont il fixe le type. Son apparition coïncide avec le début de la pièce. À ses côtés se trouve Artotrogus, un parasite.

PYRGOPOLINICE *(sortant de chez lui, aux esclaves restés dans la maison)*

Faites briller mon bouclier ; que son éclat soit plus resplendissant que les rayons du soleil dans un ciel pur. Il faut, quand besoin en sera, dans le feu de la mêlée, que l'éclat de ses feux éblouisse l'ennemi. Et, toi, ma chère épée, console-toi, cesse de te lamenter, et ne perds point courage, s'il y a trop longtemps que je te porte oisive à mon côté, tandis que tu meurs d'envie de faire un hachis de nos adversaires. Mais où est Artotrogus ? est-il là ?

ARTOTROGUS

Il est là, aux côtés d'un héros fort et fortuné, et beau comme un roi et un guerrier... Mars, auprès de tes prouesses, n'oserait parler des siennes ni les leur comparer.

L'œuvre à l'examen

PYRGOPOLINICE

N'est-ce pas lui que je sauvai dans les plaines Charançon-niennes, où commandait en chef Bumbomachidès Clutumis-tharidysarchès, petit-fils de Neptune ?

ARTOTROGUS

Je m'en souviens ; tu veux parler de ce guerrier aux armes d'or, dont tu dispersas d'un souffle les légions, comme le vent dissipe les feuilles ou le chaume des toits.

PYRGOPOLINICE *(d'un ton négligent)*

Peuh ! tout cela n'est rien.

ARTOTROGUS

Rien, bien sûr, au prix de toutes les autres prouesses... *(à part)* que tu n'as jamais faites. *(S'avançant sur la scène pour s'adresser au public).* Si jamais on peut voir plus effronté menteur, fanfaron plus vaniteux que mon homme, je veux bien être à qui le trouvera, je m'engage à devenir son esclave. Il n'y a qu'une chose : les olives confites qu'on mange chez lui sont furieusement bonnes.

PYRGOPOLINICE

Où es-tu ?

ARTOTROGUS

Me voici. Et dans l'Inde, par Pollux, te rappelles-tu cet éléphant ! Comment, d'un coup de poing, tu lui a cassé le bras ?

PYRGOPOLINICE

Comment, le bras ?

ARTOTROGUS

Je voulais dire la cuisse.

PYRGOPOLINICE

Et j'avais frappé mollement.

ARTOTROGUS

Parbleu ! Si tu y avais mis toute ta force, avec ton bras tu lui aurais traversé le cuir, le ventre, et la mâchoire, à cet éléphant.

L'œuvre à l'examen

TEXTE 2

L'Illusion comique,
Corneille. Acte II, scène 2.

TEXTE 3

Le Capitaine Fracasse (1863),
Théophile Gautier, *in Œuvres*, Paris,
Robert Laffont, coll. « Bouquins », 1988.
Chap. V, p. 1132-1133.

Le baron de Sigognac, comédien de hasard sous le nom de capi-
taine Fracasse, interprète le rôle de Matamore lors d'une représen-
tation privée chez un marquis. En voici la relation.

Matamore, suivi de son valet Scapin, que menaçait d'éborgner
le bout de la rapière, arpenta deux ou trois fois le théâtre, faisant sonner ses talons, enfonçant son chapeau jusqu'au sourcil,
et se livrant à cent pantomimes ridicules qui faisaient pâmer de
rire les spectateurs ; enfin, il s'arrêta et, se posant devant la
rampe, il commença ses rodomontades, dont voici à peu près la
teneur, et qui aurait pu prouver aux érudits que l'auteur de la
pièce avait lu le *Miles gloriosus* de Plaute, aïeul de la lignée des
Matamores.

« Pour aujourd'hui, Scapin, je veux bien quelques instants laisser au fourreau ma tueuse, et donner aux médecins le soin de
peupler les cimetières dont je suis le grand pourvoyeur. Quand
on a comme moi détrôné le Sofi[1] de Perse, arraché par sa barbe
l'Armorabaquin[2] du milieu de son camp et tué de l'autre main
dix mille Turcs infidèles, fait tomber d'un coup de pied les rem-
parts de cent forteresses, défié le sort, écorché le hasard, brûlé

---

1. **Sofi :** roi de Perse.
2. **Armorabaquin :** Bajazet Ier, souverain turc.

le malheur, plumé comme un oison l'aigle de Jupin[1] qui refusait de venir sur le pré à mon appel, me redoutant plus que les Titans[2], battu le fusil avec les carreaux de la foudre, éventré le ciel du croc de sa moustache, il est, certes, loisible de se permettre quelques récréations et badineries. D'ailleurs, l'univers soumis n'offre plus de résistance à mon courage, et la parque Atropos[3] m'a fait savoir que, ses ciseaux s'étant ébréchés à couper le fil des destinées que moissonnait ma flamberge, elle avait été obligée de les envoyer au rémouleur. Donc, Scapin, il me faut tenir à deux mains ma vaillance, faire trêve aux duels, guerres, massacres, dévastations, sacs de ville, luttes corps à corps avec les géants, tueries de monstres à l'instar de Thésée[4] et d'Hercule à quoi j'occupe ordinairement les férocités de mon indomptable bravoure. Je me repose. Que la mort respire ! Mais à quel divertissement le seigneur Mars, qui près de moi n'est qu'un bien petit compagnon, passe-t-il ses vacances et congés ? Entre les bras blancs et poupins de la dame Vénus, laquelle, comme déesse de bon entendement, préfère les gens d'armes à tous autres, fort dédaigneuse de son boiteux et cornard de mari. C'est pourquoi j'ai bien voulu condescendre à m'humaniser, et voyant que Cupidon n'osait se hasarder à décocher sa flèche à pointe d'or contre un vaillant de mon calibre, je lui ai fait un petit signe d'encouragement. Même pour que son dard pût pénétrer en ce généreux cœur de lion, j'ai dépouillé cette cotte de mailles faite des anneaux donnés par les déesses, impératrices, reines, infantes, princesses et grandes de tous pays, mes illustres amantes, dont la trempe magique me préserve en mes plus folles témérités. »

---

1. **Jupin :** diminutif burlesque de Jupiter.
2. **Titans :** géants de la mythologie grecque, fils du Ciel et de la Terre.
3. **Parque Atropos :** une des trois divinités du Destin, qui coupait le « fil » de l'existence des humains.
4. **Thésée :** fils d'Égée, second époux de Phèdre, roi d'Athènes.

L'œuvre à l'examen

SUJET

a. Question préliminaire (sur 4 points)

Sur quels différents registres est traité le personnage du fanfaron dans les trois extraits présentés ?

b. Travaux d'écriture (sur 16 points) – au choix

Sujet 1. Commentaire.

Vous ferez le commentaire de l'extrait du *Capitaine Fracasse*, du début à « Que la mort respire ! » (texte 3).

Sujet 2. Dissertation.

Dans quelle mesure un type littéraire est-il un héros simplifié ? Vous vous appuierez sur les trois textes du corpus et, le cas échéant, sur d'autres types que vous connaissez.

Sujet 3. Écriture d'invention.

Qu'il s'agisse d'Artotrogus (texte 1), de Clindor (texte 2) ou de Scapin (texte 3), le valet entre dans le jeu de son maître. Imaginez ses pensées secrètes quand il se retrouve seul.

Documentation et compléments d'analyse sur :
www.petitsclassiqueslarousse.com

L'œuvre à l'examen

Objet d'étude : le théâtre, texte et représentation (toutes sections).

À l' **oral**

Acte II, scène 2.

Sujet : qu'est-ce qui fait ici de Matamore un héros ridicule ?

I. Situation de cette scène

Alcandre a accepté de révéler à Pridamant, inquiet du sort de son fils Clindor, ce que celui-ci est devenu depuis sa fuite du logis familial. Après lui avoir brièvement raconté quelques-unes des picaresques aventures de ce fils (I, 3), il le fait apparaître sous forme de « spectre ». Avec la scène 2 de l'acte II débute donc véritablement l'« illusion ».

Clindor y est en compagnie de Matamore, dont c'est également la première apparition. Il joue auprès de lui un double rôle : il est officiellement son valet et, en réalité, son spectateur amusé ainsi que son rival heureux auprès d'Isabelle.

Lecture à haute voix de la scène : ne jamais oublier que la lecture vaut en partie explication ; elle doit donc être expressive.

L'œuvre à l'examen

II. Projet de lecture

Élaboration du projet

a. Sur les 126 vers que compte la scène, Clindor en prononce 27 et Matamore 99. Des deux personnages, Matamore est donc celui qui possède le plus fort temps de parole.

b. Chaque tirade de Matamore est lancée ou relancée par Clindor, qui feint ainsi d'entrer dans le jeu de son maître.

Conformément à la tradition, Matamore est un fanfaron, que Clindor entretient dans ses rêves ; de là vient le comique de la scène.

III. Composition de la scène

La scène obéit à un mouvement de crescendo qui s'interrompt brutalement.

1. Premier mouvement : Matamore, personnage héroï-comique (v. 228-274).

2. Deuxième mouvement : l'apothéose comique (v. 275-335).

3. Troisième mouvement : la chute dans le ridicule (v. 336-350).

IV. Lecture plus précise de la scène

1. Premier mouvement : un personnage héroï-comique

a. Matamore se proclame le plus grand guerrier de tous les temps, dominant le monde (cf. les indications géographiques des vers 230 et 270), faisant et défaisant les États (v. 240-244), devenant l'égal du dieu de la guerre (v. 246).

Matamore se veut en même temps le plus grand séducteur (v. 260-274).

Dans les deux cas, les hyperboles discréditent ses affirmations. Les accumulations (v. 236-245), les énumérations (v. 252-253 et 270-273), les antithèses produisent un évident effet comique.

b. Clindor entretient malicieusement Matamore dans ses « rêves » héroïques et galants : en les suscitant (v. 226-227), en les commentant (v. 231-233), en les admirant (v. 256-259). Sous ses flatteries perce l'ironie (double sens du verbe « rêver », v. 228, et approbation excessive).

L'œuvre à l'examen

2. Deuxième mouvement : une apothéose burlesque

a. Après les hommes et les femmes, les dieux et les déesses : le délire de Matamore va croissant. « Las » de « conquérir la terre » (v. 277-278), celui-ci procède à son apothéose burlesque. Il intimide Jupiter (v. 279-285), modifie l'ordre de l'univers et même la course du Soleil (v. 299-300).

L'invraisemblance prolonge le comique. L'apothéose culmine dans l'auto-idéalisation de Matamore (v. 321-335).

b. Clindor, de son côté, accentue son rôle d'adjuvant : de commentateur, il devient un personnage fictif du rêve de Matamore dans lequel il s'insère (v. 289), puis témoin des exploits de son maître (v. 312-315), sans que celui-ci en aperçoive l'ironie.

3. Troisième mouvement : la chute dans le ridicule

En même temps qu'un retour à l'intrigue, le vers 337 marque un retour au réel. Après l'apothéose, la chute. Matamore s'enfuit à l'arrivée d'Adraste. Ce retournement de situation est comique.

a. Matamore sait toutefois sauver la face : il dissimule sa peur sous un effet de prudence amoureuse. Dans sa colère, prétend-il, il serait capable de tuer Isabelle avec Adraste (v. 347-348).

b. Clindor se garde bien de le désabuser, non sans avoir tenté de prendre Matamore à son propre piège (v. 343).

V. Quelques éléments de conclusion

1. Le Matamore de Corneille est conforme à la tradition.

2. C'est un être de paroles, qui ne vit que dans les mots.

3. Il est par essence un être de théâtre : avec lui, l'illusion magique devient *illusion* théâtrale.

AUTRES SUJETS TYPES

- L'être et le paraître.
- La « fantaisie verbale ».
- L'éloge du théâtre.
- Le tragique et le comique.
- L'épreuve de vérité.

Documentation et compléments d'analyse sur :
www.petitsclassiqueslarousse.com

Outils de lecture

Action
L'intrigue représentée sur scène.

Adjuvant
Personnage dont la fonction
est d'aider le protagoniste
à atteindre son but.

Alexandrin
Vers de douze syllabes.

Antithèse
Figure de style traduisant
l'opposition de deux idées
ou réalités contraires
par une disposition symétrique
des mots.

Apologie
Éloge d'une personne,
d'une théorie ou d'une
institution, relevant du registre
élogieux.

Apothéose
Au sens strict, élévation
d'un mortel au rang d'un dieu ;
par extension, consécration
d'une personne célèbre.

Baroque
Mouvement artistique européen,
de la fin du XVIᵉ siècle et du début
du XVIIᵉ siècle, privilégiant
les thèmes de l'apparence,
de la métamorphose
et du mouvement,
ainsi qu'une écriture
expressionniste (métaphores,
hyperboles, antithèses...).

Comédie
Genre théâtral multiforme,
mettant le plus souvent en scène
des bourgeois ou des paysans
et comprenant classiquement
la comédie de caractère

(analyse d'un travers), la comédie
de mœurs (travers d'un groupe
social) et la comédie d'intrigue.

Commedia dell'arte
Comédie populaire italienne,
mettant en scène des types fixes
de valets, de vieillards autoritaires
ou ridicules, des fanfarons
(le Capitan), et accordant
une large place aux lazzis,
jeux de mots et jeux de scène.

Coup de théâtre
Événement inattendu, modifiant
définitivement le cours de
l'action.

Dramaturgie
Art de composer, de construire
une pièce de théâtre.

Exposition
Scène(s) faisant connaître
l'ensemble des faits nécessaires
à la compréhension
de la situation initiale.

Farce
Courte pièce campant
des personnages populaires,
dont l'intrigue repose
généralement sur une ruse
qui réussit, et qui véhicule
une joyeuse amoralité.

Héroï-comique
Qui tient de l'héroïque
(ou de ses apparences)
et du comique.

Hyperbole
Exagération rhétorique.

Hypotypose
Description animée
d'une situation ou d'une réalité
au point de la faire « voir »,

d'en imposer une vive image
dans l'esprit du lecteur
ou du spectateur.

Ironie

Fondée le plus souvent
sur le procédé de l'antiphrase,
elle consiste à dire le contraire
de ce qu'on pense pour mieux
faire comprendre qu'en réalité
on pense le contraire
de ce qu'on dit.

Pastorale

Œuvre et genre littéraires
campant dans un cadre
campagnard des bergers
(ou pseudo-bergers)
en quête de galanteries raffinées.

Pathétique

Ce qui émeut profondément
et douloureusement.

Péripétie

Événement provoquant un
brusque changement de
situation ; elle est en principe
réversible.

Picaresque

Genre romanesque espagnol,
dont les héros mènent une vie
aventureuse, précaire,
et qui, dans leurs pérégrinations,
découvrent différents milieux
sociaux.

Tragi-comédie

Genre très en vogue
dans le premier tiers
du XVIIᵉ siècle. « Une action
dramatique souvent complexe,
volontiers spectaculaire,
où des personnages de rang
princier ou nobiliaire voient
leur amour ou leur raison de vivre
mis en péril par des obstacles qui
disparaîtront heureusement
au dénouement. »
(Roger Guichemerre)

Tragique

Situation où l'homme prend
douloureusement conscience
de son état à la fois libre
et contraint. Ne s'identifie
pas au pathétique, expression
exclusive de la souffrance.

Bibliographie

Ouvrages généraux

- *Lire la comédie,* Michel Corvin, Dunod, 1994.
- *Le Théâtre dans le théâtre sur la scène française du XVIIᵉ siècle*, Georges Forestier, Droz, 1981.
- *La Tragi-comédie,* Roger Guichemerre, PUF, 1981.
- *La Littérature de l'âge baroque en France. Circé et le paon*, Jean Rousset, Corti, 1954 (nombreuses rééditions).
- *La Dramaturgie classique en France*, Jacques Scherer, Nizet, 1950 (nombreuses rééditions).

Sur Corneille

- *Corneille,* Georges Couton, Hatier, 1958.
- *Le Sentiment de l'amour dans l'œuvre de Pierre Corneille*, Octave Nadal, Gallimard, 1948.
- *La Dramaturgie de Corneille,* Marie-Odile Sweetser, Droz, 1977.
- *Les Comédies de Corneille, une psychocritique*, Han Verhoeff, Klincksieck, 1979.

Sur *L'Illusion comique*

- « La machine à illusions », in *Theatrum mundi : studies in honor of R.W. Tobin*, Charlottesville, Jean-Marie Apostolides, Rookwood Press, 2003, p. 82-91.
- « Les lieux et les temps dans *L'Illusion comique* », in *French Studie*, n° 4, Madeleine Alcover, 1976, p. 393-404.
- « Les trois illusions de *L'Illusion comique* », in *Travaux de linguistique et de littérature*, n° 2, François-Xavier Cuche, 1971, p. 65-84.
- « Illusion comique et illusion mimétique », in *Papers on French Seventeenth Century Literature*, n° 21, Georges Forestier, 1984, p. 337-391.

Bibliographie

- « Rhétorique et dramaturgie dans *L'Illusion comique* », in *XVIIᵉ siècle*, n° 80-81, Marc Fumaroli, 1968, p. 108-132 ; article repris dans *Héros et orateurs*, Droz, 1990, p. 261-286.

- « Illusions comiques et dramaturgie baroque », in *Papers on French Seventeenth Century Literature,* n° 2, Jean-Claude Vuillemin, 2001, p. 307-325.

- *L'Illusion comique de Corneille et le baroque*, Anne Richard, Hatier, 1972.

- « *L'Illusion comique* ou l'école des pères », in *Revue d'Histoire littéraire de la France*, n° 5, Marie-Joséphine Whitaker, 1985, p. 785-798.

Crédits Photographiques

Direction de la collection : CARINE GIRAC- MARINIER
Direction éditoriale : Jacques Florent, avec le concours de
Romain LANCREY-JAVAL
Édition : Marie-Hélène CHRISTENSEN, avec la collaboration de Jean DELAITE
Lecture-correction : service Lecture-correction Larousse
Recherche iconographique : Valérie PERRIN, Laure BACCHETTA
Direction artistique : Uli MEINDL
Couverture et maquette intérieure : Serge CORTESI
Responsable de fabrication : Marlène DELBEKEN

Photocomposition : Nord Compo
Impression Rotolito Lombarda (Italie) - 307192/01
Dépôt légal : Août 2006 - N° de projet : 11015218 - Août 2012.